W9-BMV-521

EL QUE COME Y CANTA…
Cancionero gastronómico de México

L E C T U R A S   M E X I C A N A S
C u a r t a • S e r i e

EL QUE COME Y CANTA…
Cancionero gastronómico de México
Tomo uno

Compilación e introducción
Aline Desentis Otálora

CONACULTA

Primera edición en Lecturas Mexicanas: 1999

Producción: CONSEJO NACIONAL PARA LA CULTURA
Y LAS ARTES
Dirección General de Publicaciones

ISBN 970-18-3432-1 Obra completa
970-18-3433-X Tomo I

Impreso y hecho en México

A mis Cristinas,
Payán y Guillermo

A Yeyo, siempre

ÍNDICE

DE LA TIERRA A LA COCINA

EL RANCHO GRANDE

PREGONEROS Y AMBULANTES

CHANGARROS

LA COCINA

Cocineros y cacharros

Las recetas

Los condimentos

EL MENÚ

EL DESAYUNO Y LA MERIENDA

Las frutas

Los huevos

Los tamales de chivo

El pan

Las tortillas

Los frijoles poéticos

Los quesos y la mantequilla

El tentempié

LA COMIDA

Comida corrida

A la carta

La sopa

Las verduras

Los tacos

Las carnes

Las aves

Los pescados y mariscos

Cocina regional

Cocina internacional

Olla podrida

Los dulces y los postres

Habiéndose acercado el tiempo de la creación, el Ajaw Tepew y el Ajaw K'ucumatz buscaron la sustancia para hacer la carne del hombre. consultaron entre sí de qué forma lo harían, porque los pasados hombres habían salido imperfectos, buscando cosa que pudiera servir para carne de aquél, se les manifestó en esta forma.

Cuatro animales les manifestaron la existencia de las mazorcas de maíz blanco y de maíz amarillo. Estos animales fueron: Yak, el Gato de Monte; Utiw, el Coyote; Quel, la Cotorra y Joj, el Cuervo. En Paxil y Calayá hallaron el maíz, mucho maíz blanco y amarillo. Incontables eran las anonas, los jocotes, los zapotes, los nances y matasanos. Todo estaba lleno de miel, pataxte y cacao.

La abuela Xmucané tomó del maíz blanco y del amarillo e hizo nueve bebidas que entraron de comida de la que salió la carne y la gordura del hombre, y de esta misma comida fueron hechos sus brazos y sus pies.

De maíz formaron los Señores Tepew y K'ucumatz a nuestros primeros padres y madres.

Popol Wuj (frag.)[1]

PARA EMPEZAR

Las obras de arte con tema culinario se remontan a la prehistoria, las pinturas rupestres representan con frecuencia escenas de cacería, donde la presa es una merienda en potencia. Posteriormente, con el nacimiento de la agricultura y la vida sedentaria, el culto a la fertilidad de la tierra, se manifestó también a través del arte. Estas obras son el testimonio, no sólo de lo que distintos pueblos comen, sino de su entorno geográfico y social, de sus valores, de su historia, de su economía, en fin, de su cultura.

La música y la comida han estado presentes desde los primeros convivios humanos; en nuestros días, géneros musicales han adoptado nombres como el jarabe,[1] la salsa[2] y el merengue.[3] Por su parte, en la literatura los alimentos son esenciales en los distintos mitos originarios: Eva y Adán fueron expulsados del Paraíso por comer una manzana. En

[1] Su nombre lo relaciona con el almíbar, quizá derive de la palabra árabe *xarabe* y también debe estar relacionado con el charape de Michoacán, bebida hecha con piloncillo. Vicente T. Mendoza, *Panorama de la música tradicional de México, estudios y fuentes del arte en México*, vol. VII, UNAM, 1956, p. 72.

[2] Desde sus inicios, la música Afrohispanoantillana ha manejado muchos conceptos que equiparan la buena ejecución musical con elementos gastronómicos y ya desde los albores del son, Ignacio Piñeiro tenía un número titulado "Échale salsita" en que utilizaba la palabra "salsa" como sinónimo de fuerza interpretativa.

[3] El nombre de este ritmo viene de un movimiento de la upa habanera, al parecer en este baile se cubre el cuerpo de la mujer con merengue o algún otro dulce y el hombre bailando, debe limpiarla.

Mesoamérica, entre las referencias literarias sobre este tema resalta el *Popol Wuh*, que narra, entre otras cosas, cómo los hombres y mujeres quichés fueron hechos de maíz. Si bien no puede hablarse de una *literatura* prehispánica en sentido estricto —puesto que no utiliza letras escritas, sino ideogramas—, existe una vasta producción poética que se transmite entre generaciones a través de la tradición oral. No es posible tampoco hablar de *canciones* prehispánicas, pues el género como tal, llegó con la Conquista, por lo que las referencias que aparecen en este cancionero no conforman el cuerpo del trabajo, pero lo aderezan a manera de epígrafes en distintos capítulos.

En los años de la Conquista y durante el periodo colonial, desapareció un invaluable acervo cultural. Entre los pueblos de estas tierras, los temas líricos eran de índole religiosa y no fue sino hasta después de la llegada de los españoles que aparecieron temas amorosos en las canciones indígenas. Las canciones que llegaron del Viejo Continente no tardaron en echar raíces y pronto se adaptaron a su entorno físico y social incorporando nuevos elementos.

La creación de metáforas está íntimamente ligada a la psicología y a las formas de vida de los pueblos. Si se analizan esas imágenes eligiendo algún tema —a saber la comida—, podremos tener determinado perfil de lo que se quiere estudiar, desde un punto de vista tan íntimo y cotidiano como lo son los alimentos. Entre los estudiosos del tema existen opiniones encontradas sobre el sentido de la poesía popular, mientras Rubén Campos[4] sostiene que el pueblo se burla de las clases acomodadas por medio del albur, Higinio Vázquez Santana opina que mediante las coplas y las imágenes verbales, el pueblo llora su desgracia en la opresión.[5]

[4] Rubén Campos, *El Folklore Literario de México. Investigación acerca de la producción literaria poplar (1525-1925)*, México, D.F., SEP, 1929.

[5] Higinio Vázquez Santana, *Historia de la canción mexicana. Canciones, cantares y corridos*, tomo III, México, Talleres Gráficos de la Nación, 1931, 255 pp.

Como quiera que sea, la poesía popular pertenece, en primera instancia, a las clases desposeídas, tanto si proviene de un autor particular con nombre y apellido —que de cualquier forma está inmerso en determinada sociedad—, como la obra anónima, pues en cualquier caso, está arraigada en el corazón de la gente que se identifica con ella y la hace suya. Al mismo tiempo, en otras esferas sociales también se incorporan estos versos, de modo que la lírica popular bien puede dar un amplio perfil de un pueblo completo, con todo y sus fisuras.

Actualmente toda la producción lírica está registrada y archivada, pero sujeta a los vaivenes de la moda, por lo que, en este siglo, una pieza puede quedar en el olvido para siempre, aunque existan muchas referencias sobre ella. Las canciones tradicionales han sobrevivido al filtro del gusto popular por generaciones y están arraigadas en lo más profundo de la identidad nacional, por lo que siguen apareciendo entre piezas efímeras de última moda en cancioneros de publicación periódica. De esas piezas efímeras, tal vez alguna echará raíz y permanecerá en la memoria de los mexicanos para siempre, pero las que no lo hagan, explicarán de cualquier forma un momento en la formación y expresión de la cultura popular, marcando un sello de identidad generacional. Gran parte de este libro está conformado por canciones de moda de las últimas cuatro décadas, si bien carecen de valor poético o folklórico, desde el punto de vista antropológico ofrecen indicadores importantes sobre el entorno social. Los mexicanos vistos a través de nuestras imágenes culinarias, no somos muy distintos de como nos vemos desde otros ángulos, pero ciertamente tenemos rasgos de identidad y características culturales que aparecen hasta en la sopa.

Los pueblos indígenas de América en general, y de México en particular, comparten una cosmovisión distinta y muchas veces incomprensible para la estructura del pensamiento occidental. Mientras las canciones en español de este Cancionero son siempre jocosas, los alimentos ocupan un sitio totalmente distinto en las canciones indígenas. El maíz es la carne de los hombres, la comida es sagrada y se habla de ella con respeto. La tierra es madre que alimenta generosa y da la vida, sus ciclos rigen a los hombres y mujeres que la hacen producir, se le habla con veneración. Preparar la tierra requiere no sólo del trabajo, sino del pedimento, de la ofrenda y de la fiesta.

En el contexto criollo, basta un granito de arroz para perder toda solemnidad y empezar *la cábula*. La jocosidad y la comida hacen dúo cuando se trata de cantar, básicamente por el doble sentido que en México se le da a casi todos los alimentos, pero existen otras razones. La mayoría de los mexicanos pasamos nuestros primeros años en la cocina, pegados a las faldas de la madre, la hermana, la tía, la abuela, la nana o cualquier otra mujer que se hacía cargo de la casa y de los niños. El entorno culinario nos rodea en la infancia, Pulgarcito descansa en la memoria junto al Comal y la Olla y las hadas se mezclan con hierbas de olor. Por otra parte, los niños tienden a imitar a sus padres y la procuración del alimento inspira juegos como *El pan caliente*, *Avena* y *Nana Caliche*, cuyas coplas evocan el trabajo en el campo y en la cocina. De ahí, canciones, juegos, y coplas infantiles, cuyo fin es la diversión, son una parte esencial de este Cancionero.

Los mexicanos reímos de dolor, "la ironía es la flor amarga del intelecto mexicano", dice Rubén Campos.[6] En un país pobre, como el nuestro, el hambre y la carestía son cosa de todos los días y de todas las etapas de nuestra historia. Fuimos Colonia y hoy somos Tercer Mundo, la desigualdad, las guerras y las crisis económicas, sobre todo del siglo XX, han inspirado canciones de protesta, coplas que el reclamo social impregna de un fino veneno en contra de las autoridades. Aquí la comida brilla por su ausencia, ya sea porque no alcanza para comprarla, o bien porque no hay forma de producirla.

[6] Rubén Campos (1929), *op. cit.*, p. 8.

Desde el virreinato ya se hacían versos irreverentes en contra del virrey y su corte, pero el intermitente gobierno de Antonio López de Santa Anna, significó un periodo muy fecundo para la literatura popular, pues el descontento social transformado en ironía, se versaba y cantaba en las calles. En el siglo XIX, los corridos eran interpretados en la vía pública por cantantes anónimos que pedían monedas a cambio. Como la cooperación era voluntaria, nadie daba nada, de modo que comenzaron a imprimirse copias de la letra del corrido que se cantaba y se vendían entre la concurrencia por un centavo. Estas hojas impresas son hoy documentos que testifican la auténtica opinión pública representada por el coplero popular.

De la misma manera que el entorno doméstico es festivo para los niños, es funesto para sus madres. Es importante la cantidad de canciones que hablan del cruel destino de la recién casada, de las miserias que viven mujeres unidas a hombres pobres, del futuro encadenado al fogón. En México, hasta hace muy pocos años, no había muchas alternativas para las mujeres, el Cancionero Gastronómico muestra dos tipos de realidad de las mexicanas: o son frutas jugosas —como veremos más adelante— y valen sólo mientras no se magullan, o bien, están condenadas a hacer de las cazuelas su yugo. Quizá muchas mujeres disfrutan de las labores domésticas, pero no conozco ninguna que lo diga en una canción.

El comercio ambulante en México existe desde antes de la Conquista. Posteriormente, mercaderes de distintas partes del mundo ofrecían sus mercancías por medio de pregones. Coplas y versos, siempre alegres, fueron el medio publicitario de estos comerciantes que, entre sus mercancías, ofrecían todo tipo de alimentos. De esta manera, los pregones son una fuente importante de coplas y versos gastronómicos.

En México usamos constantemente metáforas gastronómicas para casi cualquier cosa, de lo que podemos inferir, a primera vista, la riqueza culinaria de nuestro país. Sucede a menudo que la media naranja nos da atole con el dedo, nos hace de chivo los tamales y finalmente nos da calabazas. Todos esos momentos se cantan, formando parte de los símbolos culinarios a través de los cuales es posible describir algunos rasgos de la identidad del mexicano.

La gastronomía es musa de las canciones y podemos encontrar alimentos en cualquier género o forma musical que haya sonado en nuestro país, en cualquier región, en casi cualquier contexto y desde los tiempos más remotos hasta nuestros días. El Cancionero Gastronómico es, pues, una muestra representativa del cancionero popular. Concepción Murillo[7] sostiene que los tres grandes temas de la canción popular mexicana son el amor, la tierra natal y las penas. La temática de las canciones culinarias es casi interminable, pero reproduce el patrón del cancionero popular destacando tres elementos: el amor, el alcohol y el terruño.

La gran mayoría de las canciones mexicanas —y del mundo entero—, hablan de amor, pues es un sentimiento que todos los seres humanos padecemos alguna vez. El amor no es siempre igual; cuando es profundo y dolido no admite chistes, por lo tanto difícilmente tolerará una invitación a comer. Esto explica que grandes maestros como Agustín Lara, Guti Cárdenas o Armando Manzanero no hayan asistido a este banquete, no es el romance tormentoso plagado de celos y traiciones el que comparte un taco. El enamoramiento gozoso y la seducción, en cambio, abarcan un espectro amplísimo de metáforas culinarias. Es casi una regla asociar el amor con los dulces, por lo que los postres ofrecen besos de chocolate, de caramelo y de miel, bocas azucaradas, melcocha. Este lugar común está tan arraigado, que sigue siendo muy socorrido por los jóvenes intérpretes que pretenden innovar, aunque canciones como *El Metro*, de Café Tacuba, o *Cerdo*, de Molotov, muestran las golosinas como

[7] Concepción Murillo Álvarez, *Aportaciones al estudio de la lírica popular y tradicional mexicana*, México, D.F., UNAM, Facultad de Filosofía y Letras, 1960.

parte del entorno urbano de fin de siglo, que ha sustituido los azucarillos de a medio y de a real por submarinos y chocorroles.

La seducción encuentra campo fértil en las imágenes gastronómicas y brota en forma de frutas: pieles multicolores, aromas agridulces, carnes jugosas, las frutas en la poética popular tienen un lugar predominante y una irrefutable connotación sexual. De la originaria manzana a la obviedad de la guayaba; la acidez sugestivamente femenina de los cítricos que dan abrazos que yo te pido, el olor a piña madura. Duraznos aterciopelados de corazón colorado o tunas rejegas que se han de comer aunque espinen la mano: la imagen de la violación, un factor determinante en la psicología y en el habla popular.

Nuestro pueblo ha sufrido mucho desde su origen, la vejación del padre blanco a la madre india, años de esclavitud, guerras intestinas para una dolorosa gestación, subdesarrollo, pobreza, ignorancia. El carácter de los mexicanos, —pero sobre todo de los varones a quienes corresponde socialmente el papel de sostener y defender a la familia— está marcado por la impotencia y la humillación que, si bien son el origen de un sentido del humor muy peculiar, han colocado la autoestima del *macho* mexicano a la altura de los genitales. El que nada puede hacer, el que está frustrado, el que está hundido puede, y eso siempre puede, ser muy macho. Esta característica psicológica de los mexicanos es el origen de más de la mitad de las canciones y coplas que conforman este Cancionero. El albur es una de las formas más finas de la metáfora popular, pues juega con el doble sentido de las palabras, con las imágenes verbales y fonéticas. Para ello se sirve de todo lo que encuentra en la cocina, con el único objetivo de demostrar la superioridad sexual del macho mexicano ante cualquier hombre, mujer o quimera que se le ponga enfrente.

Cuando lo único que el *macho* puede hacer no funciona, se emborracha y brinda por la ingrata. O por cualquier cosa y con cualquier cosa no más hasta caerse. Las bebidas alcohólicas ocupan el segundo lugar de incidencia en este Cancionero y es que ocupan un sitio primordial dentro de la lírica popular que rinde culto al embrutecimiento.[8] Autores de la talla de José Alfredo Jiménez fincan toda su obra en el rincón de una cantina. Este Cancionero presenta únicamente las piezas con sentido gastronómico, es decir, aquellas que más que girar en torno a la embriaguez, ilustran cómo son esas bebidas, de dónde se obtienen o cómo se toman, por lo que muchos borrachos ilustres quedaron fuera.

El pulque tiene un sitio privilegiado tanto en el Cancionero como en la cultura y la cosmovisión de los mexicanos. La huida de Quetzalcóatl se debió a la vergüenza que sintió después de haberse embriagado con pulque, que sólo los ancianos y los dioses tenían derecho a beber. A diferencia de las otras bebidas alcohólicas, se consume por el placer de beberlo y la embriaguez aparece como una consecuencia, ni siquiera se vende en las cantinas, al lado de otros alipuses, sólo se encuentra en las pulquerías. Al igual que el vino tinto para los franceses,[9] para los mexicanos el pulque blanco determina un rasgo de identidad nacional. Actualmente se dice que le falta sólo un grado para ser bistec y ciertamente su valor nutricional es altísimo, en muchas localidades se acostumbra dar aguamiel sin fermentar a los niños, como sustituto de la leche. Muchas personas siguen dándole un sentido religioso, Julio Ornelas, en *El Pulque*, nos narra cómo hoy en día se acostumbra rezar frente a los tinacales durante la fermentación. La espiritualidad asociada a las bebidas alcohólicas tiene raíces tanto indígenas como europeas, lo que explica que muchas etnias de nuestro país utilicen algún tipo de aguardiente en las ceremonias religiosas, desgraciadamente esto ha fomentado el alcoholismo entre los mexicanos.

[8] Queda la invitación abierta a investigar por qué "La Cucaracha" es tan distintiva de la identidad de los mexicanos en el mundo entero.

[9] Roland Barthes, *Mitologías*, México, Siglo XXI, 1989, p. 75.

El tequila carece de la significación religiosa que pudiera tener el pulque, pero no del arraigo. En todos los ámbitos sociales y en cualquier ocasión cae bien un tequilita. En *coktail Margarita* o servido en la tapita, calidad de exportación o dudosísima procedencia, el tequila se bebe para celebrar o para olvidar. La frecuencia de canciones sobre la cerveza habla de la excelente calidad de esta bebida en México y su gran aceptación, pues puede tomarse sola o acompañada de generosos platillos.

El amor a la tierra natal nació con la vida sedentaria y la agricultura y es uno de los principales temas de la lírica popular. La querencia también se arraiga en el paladar y en la distancia, se recuerdan con nostalgia aromas y sazones que, al igual que los paisajes, retratan la región que nos vio nacer. La *cocina regional* es vasta como el territorio nacional, como las canciones que lo ensalzan, como el amor al terruño o al barrio.

Este libro no es un trabajo terminado, pues sería necio pretender abarcar un todo tan complejo y en constante devenir como la lírica popular, dejo, pues, abierta la invitación para agregar otras coplas y canciones para abrir el apetito.

El Cancionero Gastronómico presenta una recopilación de las canciones y coplas de México que tienen como tema la comida o la bebida. Cada pieza está documentada lo más ampliamente posible, tratando de incluir: título, autor, intérprete, ritmo o forma musical, contexto, lugar y fecha. Puesto que la información de las canciones no es homogénea, el orden que éstas siguen dentro del Cancionero se basa en lo único que todas tienen en común: la comida y la bebida.

Las fechas de las canciones no necesariamente indican cuándo fueron compuestas, algunas son muy antiguas y no es posible documentar con precisión su aparición. En todo caso se proporciona la fecha de la publicación en que fueron documentadas y, en caso de existir el dato, se indica desde cuando se tiene noticia de ella.

Es difícil documentar con precisión los lugares de origen

de muchas piezas, las canciones y las coplas van por la palabra recogiendo nuevas imágenes, adaptándose, dóciles, a las costumbres y realidades de cada hablante y no saben de fronteras políticas. Los únicos límites, culturales, se rompen con frecuencia, pues los distintos pueblos hacen suyos versos que pertenecen a otras regiones y los incorporan a sus canciones. Aún así, la incidencia de piezas gastronómicas en determinada región, nos habla de pueblos alegres y de buen diente, como el veracruzano o el yucateco maya y mestizo. Regiones como Costa Chica y las Huastecas juegan un papel determinante en la producción de este tipo de piezas dada su larga tradición musical y su fina gastronomía. Por su parte, el Distrito Federal representa un crisol cultural donde convergen las ideas.

A partir de los años cincuenta el contacto con Cuba definió una nueva identidad. No hay que olvidar que "México y La Habana son dos ciudades que son como hermanas", los ritmos cubanos florecieron en territorio mexicano y con ellos nuevos símbolos que enriquecieron la poesía popular: también en México, un *pollo* es una chica guapa. Actualmente, los grandes monopolios en telecomunicación permiten que Latinoamérica haga suyos a autores e intérpretes de distintas nacionalidades por medio de festivales como el OTI o Viña del Mar y a través de la televisión por cable y vía satélite. Intérpretes como Celia Cruz, el grupo Menudo y Roberto Carlos deben gran parte de su fama al público mexicano, por lo que, sin importar si son cubanos, puertorriqueños o brasileños, se han considerado en este cancionero como parte de la cultura popular mexicana.

Por último, muchos sones jarochos se usan para improvisar coplas sobre la concurrencia y tienen una estructura totalmente libre, por lo que en este cancionero se incluyen sólo las coplas de estos sones que tienen connotación gastronómica. Existen casos en que los temas de estas coplas coinciden dentro de cada son, como *La Leva*, donde se habla reiterativamente de la cerveza; *El Aguanieve*, en que el tema es la sed y el acto de beber, o como en *La Guacamaya*, donde resaltan las frutas. *El Colás* reúne en dos categorías sus coplas sobre alimentos: los tamales y la cocina, por lo que he decidido presentarlo en dos versiones, una para cada tema. Otros sones como *La Sanmarqueña*, *El Siquisirí* o *La Huazanga*, salpican con sus coplas gastronómicas todo el cancionero, abusando de la libertad que tienen para cantarse al gusto. Los sones comparten entre sí y con otras canciones, muchas de sus coplas, lo mismo sucede con los juegos infantiles, lo que explica que coplas como:

> Me gusta la leche
> me gusta el café
> pero más me gustan
> los ojos de usted.

y sus variantes, aparezcan tanto en juegos infantiles como en sones jarochos.

El Orden

"El Rancho Grande", se habla sobre el origen de la comida, de la tierra a la cocina, pasando por la comercialización hasta la preparación de los platillos.

"El Menú", se presenta a los diferentes alimentos, agrupados en tres horarios distintos:

El desayuno y la merienda. Los mexicanos consumimos más o menos los mismos alimentos para desayunar o para merendar, por lo que se agrupan en una misma sección.

El tentempié. Entre comidas siempre hay algo que picar: pan con algo, chicharrón, botanas.

La comida. Algunas canciones hablan de alimentos muy variados: sopa del día o consomé, arroz o ensalada, infinidad de guisados a escoger, frijoles, agua y postre forman la "Comida Corrida". A continuación, se ofrece una gran variedad de platillos a la carta que incluye cocina regional e internacional y postres.

Se le da el nombre de Olla Podrida al guiso que se prepara con las sobras de la semana. Estas canciones no pueden dividirse en coplas o fragmentos debido a su estructura, pues se trata de corridos o de canciones hiladas. Dado que sus elementos gastronómicos no tienen relación alguna, son los ingredientes de este platillo básico en las economías domésticas.

"Las Bebidas", para no bajarse a brincos la comida y visitar "La Cantina", que ofrece botanas, refinos y remedios para la cruda.

"La manera de tomar el taco" habla de la forma en que, a nivel personal, nos relacionamos con los alimentos. Comienza con una lista de invitados, humanos y no. "Dos cubiertos y tu canción" son las piezas en las que lo importante de comer no es lo que hay en la mesa, sino la acción de compartir: en pareja, en familia, con amigos. En seguida, las fiestas, comenzando por las más íntimas, en casa, por ejemplo, de Julia, siguiendo por las de los pueblos, cumpleaños, bodas, Cuaresma, Día de Muertos y Navidad.

Después de las fiestas, las penas, que sin pan son más. Para no engordar, están las dietas y para cerrar el apetito (y el Cancionero), un desplante de humor escatológico.

Las canciones fragmentadas, excepto los sones, cuyas coplas aparecen aderezando el Cancionero, se reproducen completas en el Anexo.

Buen provecho

DE LA TIERRA A LA COCINA

Ah, mi caudillo, príncipe prodigioso:
en verdad tuyos son los alimentos:
tú el primero los produces,
por más que te ofenden.

Canto de Tláloc (frag.)[2]

LA MILPA[3]

D.P.

Qué bonita está la milpa
rodeada de mirasol,
cuando madura el elote
y está lloviendo con sol.

Pájaros madrugadores
me enseñaron la canción,
que entono tras el arado
cuando canta el corazón.

Granito que has de comer,
granito que has de sembrar;
si cosechas quieres ver,
antes tienes que sudar.

Canción mexicana

LA NOPALERA[4]

Distrito Federal, 1958

Detrás de la nopalera
su columpio le ponía,

y acostadita en mis brazos,
¡con cuánto amor la mecía!

Le regalé fruta de horno,
un paño y un prendedor,
y atrás de la nopalera
le dimos gusto al amor.

Pero á'i no más, que una tarde
de mi labor regresaba,
cuando en brazos de otro amante,
¡qué columpiadas se daba!

Yo vide crecer la milpa,
pa'que otro comiera elotes,
me madrugó con la miel,
y yo toreé los tejocotes.

Ya me voy, ya me despido,
anden con mucho cuidado,
que ésas de la frente china
son las del ganado bravo.

LA NOPALERITA[5]

(1939)

Ayer te vide cortando
nopalitos en la loma,
cuando yo iba atravesando
el Puente de la Morena.

Tuve ganas de ayudarte
a cortar los más tiernitos
pa' luego, muy juntitos
ir a amarnos al jacal.

Cuando llegué a las lajitas
del Cerro de la Calera,
tú pelabas las penquitas
al pie de la nopalera.

Y desde el camino real
miraba yo tu carita,
más colorada y bonita
que las tintas del nopal.

EL CAMOTAL[6]

D.P. Minatitlán, Ver., s/f

Yo tenía mi camotal
en medio de la sabana,
por no saberlo cuidar
se lo ha comido la iguana.
¡Qué demonio de animal!

Estribillo
Camotes y más camotes,
calabacita y chilacayotes.
Naranja dulce, limón partido
dame un abrazo y me voy contigo.

Si fuera falso tu juramento
en otro tiempo me olvidarás.

Camotes y más camotes,
calabacita y chilacayotes.
Naranja dulce, limón celeste,
dile a María que no se acueste
Que María ya se acostó,
vino la muerte y se la llevó.

Yo tenía mi camotal
a orilla de la ladera,
por no saberlo cuidar
se lo ha comido la arriera.
¡Ay, qué demonio de animal!

Camotes y más camotes...

Yo tenía mi camotal
en tierra que no era mía,
por no saberlo cuidar
se lo acabó la sequía.
¡Por eso me fue tan mal!

Camotes y más camotes...

Yo tenía mi camotal
al pie de una hermosa cerca,
por no saberlo cuidar
me lo ha comido la puerca.
¡Ay, qué demonio de animal!

Camotes y más camotes...

Versión: Grupo Rescate de Tradiciones
del Centro de Integración Familiar (CIFA), Pemex

LOS PADRES DE SAN FRANCISCO[7]

Los padres de San Francisco
sembraron un camotal;
arrancan los camotitos
y empiezan a respingar.

Tin tan, tin, tan.

Juego infantil
Los niños, en círculo, giran rápidamente
mientras cantan.

MI MARIDO FUE A LA HABANA[8]

Veracruz.

Mi marido fue a La Habana
y en el cayuco le dije,
y le encargué un conejito;
se lo encargué colorado
y me lo trajo pintito.

Estribillo
¡Qué búscalo allí!,
¡qué cógelo allá!,
¡qué búscalo acá!,
¡qué búscalo aquí!

Mi marido fue a La Habana,
y le encargué un delantal,
con un letrero que diga:
"Cada vez que me lo propongo
me dan ganas de llorar".

¡Qué búscalo allí!...

Yo tenía mi camotal,
me lo cuidaba un viejo;
como lo cuidé tan mal,
me lo ha comido un conejo.

¡Qué búscalo allí!...

Yo tenía mi camotal,
en la playa de Alvarado;
como lo cuidé tan mal,
me lo ha comido el venado.

Son Jarocho

YAAN IN JO'OCHE'ETIK[9]
(Maya)

Ko'oten yuun cháak weye',
ko'oten yuun cháak weye', ka'téen
ko'oten a jóoya' tin kool.

Jach k'áabéet a jóoya'tik nal,
jach k'áabéet a jóoya'tik bu'ul,
jach k'áabéet a jóoya'tik k'úum,
jach k'áabéet a jóoya'tik iis.

Káan a wil táan u nokoytal
ka nadzkabáa na le kunche'o',
káan a wil táan u lúubul ja'
ka wokla walkab te'e kunche'o'

Jach k'áabéet a jóoya'tik nal,
jach k'áabéet a jóoya'tik bu'ul,
jach k'áabéet a jóoya'tik k'úum,
jach k'áabéet a jóoya'tik iis.

Le káan k'anak in nalilo'
yaan in bisik tia'a(l) kin jo'oche'etej,
le kan k'anak in bu'ulilo'
yaan in chakik tia'a(l) kin to'oche'etej.

Le káan k'anak le in kúumilo'
yaan in pu'(b) tik tia'a(l) kin jo'oche'etej,
le káan k'anak le in iisilo'
yaan in chakik tia'a(l) kin jo'oche'etej.

Yaan in pi'(b)tik tia'a(l) kin jo'oche'etej,
yaan in chakik tia'a(l) kin jo'oche'etej,
yaan in pi(b)tik tia'a(l) kin jo'oche'etej,
yaan in chakik tia'a(l) kin jo'oche'etej
xnuuk.

TENGO QUE OFRENDARLO
(Español)

Ven aquí, Señor de la lluvia,
Ven aquí, Señor de la lluvia,
ven a regar mi milpa (dos veces).

Estribillo
Mucho necesito que riegues el elote,
mucho necesito que riegues el frijol,
mucho necesito que riegues la calabaza,
mucho necesito que riegues el camote.

Cuando comience a nublarse
acércate a la troje,
cuando esté lloviendo
métete rápido en la troje.

Mucho necesito que riegues el elote...

Cuando mi elote madure
tendré que ofrendar,
cuando mi frijol madure
cocerlo debo para ofrendar.

Cuando madure mi calabaza
cocerla debo en pib y ofrendar,
cuando madure mi camote
cocerlo debo para ofrendar.

Debo cocerlo en pib y ofrendar,
debo cocerlo para ofrendar,
debo cocerlo en pib y ofrendar,
debo cocerlo para ofrendar,
mi doña.

Canción yucateca a ritmo de jarana

V CANCIÓN PARA SALUDAR AL AGUA[10]

(Hña hñu)

Tebes'í, Hidalgo

(Primera versión)

Maga gahtúhu, nama thugu,
rathuhu te simhaí,
para ga una yo,
para ga una toni,
ga una rahbóza,
ga una bopo,
ga una hohkhu,
ga na tení,
ga una nura 'yuri,

ga una seí*,
ga una kompite,
ga una nura márgasóte
ga una yóho re simo,
ga una yóho ra cáso,
padi dir seí,
ga una yemphe.
Ka un na kopo,
ka un na hohkju,
ka un na to'ni,
ka un na nu ra 'yui,
ka un na seí,
ka un na kompite,
ka un na na nu ra márgasóte,
ka un na yóho ra simo,
ka un na yóho paso,
pa ta si ra seí,
ka un na oyompé

V CANCIÓN PARA SALUDAR AL AGUA
(Español)

(Primera versión)

Voy a cantar, un canto,
el canto de la tierra,

* La palabra otomí *seí*, en general, significa licor y, específicamente en el Valle del Mezquital, pulque. En la sierra de Puebla no hay pulque, por lo que se traduce como refino o caña (aguardiente de caña de azúcar).[11]

para que dé la cera,
para que dé la flor,
que dé coronas de palma,
que dé incienso,
que dé atole de chocolate,
te doy huevos,
te doy cigarros,
te doy refino,
te doy confites,
te doy un marquesote,
te doy dos jícaras,
te doy dos vasos,
para que bebas refino,
te doy caña.

(Segunda versión)

Voy a cantar, mi canción,
el canto de la tierra,
para dar una vela,
para dar una flor,
voy a dar una palma,
voy a dar ¿incienso?
voy a dar ¿chocolate?, ¿atole?,
voy a dar un huevo,
voy a dar cigarros,
voy a dar licor,
voy a dar confites,
voy a dar marquesote,
voy a dar dos jícaras,
voy a dar dos vasos,

para que bebas licor,
voy a dar dos cañas.

Canción Hña hñu

Esta canción se canta en una ceremonia en una laguna llamada Tebes'í, la cual está situada en un cerro. También se llama así al pueblito que está abajo de San Pablito el Grande, en el estado de Hidalgo.

Indita, indita,
indita del verde llano,
si tu cariño es el huerto,
mi amor será el hortelano;
una rosa de Castilla
se me deshizo en la mano.

La indita[12] (estribillo), Veracruz, Ver., 1965

EL JABALÍ[13]

Apatzingán, Mich.

—Señora, su jabalí,
dígame, ¿quién se lo dio?
—A mí nadie me da nada,
mi dinero me costó.

Andaba yo trabajando
por la tierra del Jazmín;
por estar yo almorzando
se me fue mi jabalín.

Son de Tierra Caliente

NANA[14]
(Náhuatl)

Alumnos y maestros de 5º y 6º de
la escuela primaria bilingüe Quetzalcóatl.
Zacatlaixaco, Tehuipango, Ver., 1997

Nana tech tlaxkalti
no tata iwa nohni
ti tikipanotiwi
kampa ich to tlaltsintli

Tiktokatiwi tlioltsintli
iwan exotsintli
amo ti kilkawas
tik tlalis eyopixtsintli

Nana tech tlaxkeltis
no tata iwan nohni
ti tikipanotiwi
kampa ich to tlaltsintli

Nana nitiosiwi
xi posoni exotsintli

xik tlalili chiltsintli
iwan xi tsoyoni.

Chokotsi xikuiti elotsintli
iwan exotsintli
tiposoniske iwan ti toniski
nochi ma timoyolchikawaske.

MAMÁ
(Español)

Mamá, ponme mi bastimento
mi papá y mi hermano
vamos a trabajar
en nuestra tierrita.

Le vamos a sembrar maíz
y ejotito
no se te vaya a olvidar
poner tacos de frijol.

Mamá, me pondrás mis tortillas
mi papá y mi hermano
vamos a trabajar
en nuestra tierrita.

Mamá, tengo hambre
hierve los frijoles
ponle su chilito
y fríelo.

Muchachito, trae elotitos
y ejotitos
los hervimos
y los guisaremos.
Todos nos alimentaremos.

Traductora: Maestra Nieves Esther Cerezo Calihua.
Canción ranchera

TÁAN U TAAL U SÁASTAL[15]

(Maya)

Feliciano Sánchez Chan, 1984

Táan u taal u sáastal in Ki'ichkelen Yuum
táan u taal u tíip'il K'iin tu yóok'ol k'áax
k'a'abet ka'a chan líik'ken tin x-la' t'úut'tuy k'aan
ti'al in bin tin kool in ch'a'ajo'ot in meyaj.

Péeksaba wale' ¡ay! In x-ki'ichpan ko'olel
líik'en a joyten in wo'och choko sakan
xu'uplu xu'uplu taal u yóol in puski'ik'al
tumeen ma'a in jaant mix junxéet' chuchul waaj.

Ile in dzaamin jit'bil p'óok
in páajkaltmin but'bil dzoon
in jenkaltmin sabukan
tu'ux kin bisik in chan o'och k'eyem.

Ka'aka'at le ken suunaken
kin taasik juntúul sakpakal

ka k'áa'tik wa ka chakik
ti'al ka's kulako'on ki'i janal.

Bey u máan ten k'iin ¡ay! In x-ki'ichpan ko'olel
kex tu tzaran k'iine' tene' tin meyaj
chen sáamal wa ka'abej yaanto'on ka'atúul paal
tio'lal Jalal Yuume'yaan ba'ax k-tzéentiko'ob

Wa mina'an tio'on taak'ine' ba'ax k-chen k'ajti'
yetel jump'iit ixi'im, bu'ul yetel sikil
ken chen papa'dzul wa jayp'eel p'iichil ich
In Ki'ichkelen Yuume' ku dzáakto'on k-kuxtal

Sáansamal tu j'ol meyaj
kex táan u ki tzaran k'iin
ki'imak in wóol kin meyaj
tumeen joolnaj ka paá'tiken

Le ken k'anak x-ki'ichpan nal
yaax taanil kin jo'oche'etik
kin píi'tik wa ka chakik
u ti'al k-jaant yetel áak' sa'.

VIENE AMANECIENDO
(Español)

Viene amaneciendo, mi Hermoso Señor
ya sobre los montes despunta el Sol

mi vieja hamaca debo abandonar
e ir a la milpa para trabajar.

Debes darte prisa, mi hermosa mujer
para prepararme mi *choko sakan*
fatigado viene ya mi corazón
porque ni tostadas he probado hoy.

Mírame con mi sombrero
al hombro mi *but'bil dzoon*
y cargo mi *sabucán*
donde llevo mi fresco pozole.

Más tarde al regresar
traeré un *sakpakal*
que asado o sancochado
con gusto habremos de comer.

Así paso el día, mi hermosa mujer
bajo el sol candente sigo trabajando
mañana o pasado tendremos dos hijos
por bien de mi Dios los podremos criar.

Si no hay dinero al fin no importa
con algo de maíz, pepita y frijol
ya con *papa'dzul* o algo de *p'ichil ich*.
Nuestro Dios Hermoso nos da pa' vivir.

A diario en mi trabajo
aun con el sol quemante
con gusto trabajo yo
porque en casa me esperas tú.

Cuando esté la cosecha
primero la ofrendaré
en *piibil* o *chakbil nal*
junto con el *áak' sa*.

KOLNAAL 1[16]

(Maya)

Kin li'sik xan in chan xnuuk
tia'a(l) ki meenti wuuk'uj,
tia'a(l) ku meenti wuuk'uj
jach k'a'abéet in bin meyaj.

Kin ch'a'akin nu'ukulo'ob,
kin chan ch'a'akin k'eeyem,
kin kaskin xímbal chan láak'.

Káan k'uchken túun te'e ich k'áax
kin p'isik, kin kaskin kolikka'téen
chumuk k'iin kin wu'kin k'eeyem.

Le káan dzo'okin kolik,
le káan dzo'okin kolik
kin mistik tulaklu ba'paach.

Kin chan dza(l)ku saka'i'
ty'ola(l) ma' u pudzul(l) k'áak'
le káan in t'abej chan láak'.

Kin pa'ku lúubul ja',
káan lu'ke' kin pak'ik
nal yéete(l) tulaklu xa'ak'.

Káan lo'obok kin páaktik ichil,
káan k'anak k'a'abéet in wadzik
jach tu dzook kin dza(i)ku janli(l)

Káan lo'obok kin páaktik ichil,
káan k'anak k'a'abéet in jochik
jach tu dzook kin dza(i)k u janli(l),
janli kool.

MILPERO 1
(Español)

Pido a mi señora que se levante
a hacerme el desayuno,
a hacerme el desayuno,
para que yo trabaje.

Tomo mis herramientas,
llevo mi pozole
y me encamino, hermanito.

Cuando llego al monte
lo mido y empiezo a tumbar
y al medio día mi pozole bebo *(2 veces)*.

Cuando termino de tumbarlo,
cuando termino de tumbarlo,
todo alrededor lo barro.

Ofrezco la bebida de saka,
para que no se corra el fuego
cuando lo encienda el pariente.

Espero que caiga el agua
y cuando llueve lo siembro
con maíz y otras semillas.

Cuando se llena de maleza lo deshierbo,
cuando madura cosecharlo debo
y al final la comida ofrezco.

Cuando se llena de maleza lo deshierbo,
cuando madura cosecharlo debo
y al final la comida ofrezco,
la comida de milpa ofrendo.

Canción yucateca a ritmo de jarana

KOLNAAL 2[17]
(Maya)

Tu'ux ka bin nojoch máak,
tu'ux ka bin nojoch máakka'téen,

tu'ux ka bin nojoch máak,
nojoch máak tu'ux ka bin.

Tin bin tin kool
tia'al in pak'ik
jump'fit ixi'im
yéetel koli - bu'ul.

Tin bin tin kool
tia'a lin pak'ik iik
yéetel joli p'aak,
tia'a lin mentik ma'alo' janal.

Ken k'uchken tin wotoch
p'elu dzo'oklin meyaj
jach túun wi'ijen
taak túun in janaj.

Ku kutlin xnoj wíinik
ku pak'achtik in wo'och waaj
ku chéen jaalik in wo'och choko bu'ul.

Ku chéen pókik ten iik
ku pulik ichi(l) p'aak
ku k'utik yéetel xexet'al cilantro.

Choho sakam ti' teen ku joyik
ichin juyu' ku dzo'okli(n) janal.

Bomba
Mesticita mesticita
dzo'ok u yu'ul a nojoch dzuul

u tia'al a wil jach taj u yaakumeche'
tu taasa jaante'
jump'éel xnuk sabukan bu'ul.

Ken k'uchken tin wotoch
p'elu dzo'oklin meyaj
jach túun wi'ijen
taak túun in janaj.

Ku kutlin xnoj wíinik
ku pak'achtik in wo'och waaj
ku chéen jaalik in wo'och choko bu'ul.

Ku chéen pókik ten iik
ku pulik ichi(l) p'aak
ku k'utik yéetel xexet'al cilantro.

MILPERO 2
(Español)

¿A dónde vas, viejo señor,
A dónde vas, mi viejo señor,
a donde vas, mi viejo señor,
viejo señor, a dónde vas?

Voy a la milpa
a sembrar
algún maíz
y frijol de milpa.

Voy a la milpa
a sembrar el chile
con tomate de milpa
y tener buena comida.

Cuando llego a mi casa,
al terminar de trabajar,
mucha hambre tengo
y comer deseo.

Se sienta mi doña,
me prepara mis tortillas
y me sirve frijol caliente.

Tuesta un chile
que mezcla con tomate y lo machaca
en molcajete con pedazos de cilantro.
Atole caliente me prepara
y con el picor de mi boca termino de comer.

Bomba
Mesticita, mesticita,
ya llegó tu gran señor;
para que sepas que te amo tanto
te traje para comer
un gran morral de frijol.
Cuando llego a mi casa,
al terminar de trabajar,
mucha hambre tengo
y comer deseo.

Se sienta mi doña
y prepara mis tortillas
y me sirve frijol caliente.

Tuesta un chile...

Canción yucateca a ritmo de jarana

EL COSTEÑO[18]

Higinio Peláez R.
Cacahuatepec, Oax., 1992

Con un machete en la mano
y mi gancho de cuaulote,
yo me doy gusto, paisano,
desbaratando mogotes,
donde sembraré semillas
que pronto serán elotes.

Nacido en un bajareque
con el canto de zanates;
mi cuna de chiquihuite
y por colchón un petate;
tengo el corazón bien puesto
como palo de quebrache.

Estribillo
Me gusta sembrar mi milpa
de chagüe y de temporal;

me gusta cantar chilenas
y mi bajo bordonear;
tocando la Sanmarqueña
la banda municipal,
yo con mi linda costeña
con gusto vamos a zapatear
con gusto vamos a zapatear.

Con mi tarecua en la mano
en el surco soy campeón;
y en el monte, mi comida
la caliento en el fogón,
con mi jarro de chipiles
su chirmole y su limón.

Soy costeño que se ufana
de ser feliz como pocos;
me gustan las chicatanas,
el cozuco y los endocos,
el rico caldo de iguana,
también los tamales chocos.

Me gusta sembrar mi milpa...

Mi Costa Chica querida,
tierra chula y fandanguera;
tus mujeres son cumplidas
y en los amores sinceras,
y a los hombres, en sus tratos
no les gustan las chanderas.

Se va el costeño coplero
chincualudo y retozón;
y como soy un trovero,
le dedico esa canción
a mi Oaxaca y Guerrero,
noble y preciosa región.

Me gusta sembrar mi milpa...

Chilena

LA TORTOLITA[19]

Tortolita cantadora
que a pesar de la calor,
me sigues acompañando
con tu amorosa canción,
mientras la yunta sestea
y se me seca el sudor.

Ni el barbecho, ni el arado,
ni el aguaje, ni su voz,
conocen esta ponzoña
que me mata el corazón,
por quererte tanto, tanto,
trigueñita de mi amor.

Ya no me importa la milpa
ni tampoco el frijolar,

el cabo sólo me queda
en aquel triste jacal,
mi perro que triste llora
echado junto al comal.

AHÍ VIENE EL AGUA[21]

Nació el dios del maíz en Tamoanchán,
en la región de las flores, una flor.

Nació el dios del maíz en la región de la lluvia
y la niebla,
donde se nacen los hijos de los hombres,
donde se adquieren los peces preciosos.

Teme mi corazón, teme mi corazón que aún no
venga el dios de maíz.

Canto del *Atamalcualoyan* (frags.)[20]

Ahí viene el agua, mi vida,
ahí viene ya el temporal;
tápate con mi cobija,
no te vayas a mojar;
mira que ya se divisa
donde vamos a llegar.

Ahí viene el agua, chinita,
ahí vienen los aguaceros;
no te espantes, chiquitita,
que pasando los potreros

allí está la bajadita
donde cantan los vaqueros.

Ahí viene la lluvia gruesa
por aquellas dos lomitas;
que nos llegue a la cabeza,
que nazcan bien las milpitas,
los ejotes de la mesa,
también las calabacitas.

Escucha los dulces cantos
del zenzontle y el jilguero;
mira qué verdes los campos,
qué montoso está el potrero;
de flores, mirtos y nardos
está revestido el cerro.

El gorrión sobre el árbol
le canta a su primavera;
no se cansa de cantar
por todita la ladera:
"¡Qué gusto me había de dar
si esa chica yo tuviera!"

Para cantarte sin fin
y muchos versitos de amor,
y pasearme en tu jardín
para cortar una flor;
de ellas un blanco jazmín,
y embriagarme con su olor.

No seas ingrata, chiquita
de cabello enmadejado:
regálame esa rosita
de tu jardín matizado
y un beso de tu boquita,
que de ti ando enamorado.

Ya me despido llorando,
de ti me voy a ausentar;
nos seguiremos mojando
mientras pasa el temporal;
sólo Dios sabrá hasta cuándo
nos dejaremos de amar.

No vaya yo a perecer, yo la tierna mata del maíz:
mi corazón es cual esmeralda: he de ver el oro.
Mi corazón se refrigerará: el hombre madurará,
habrá nacido el caudillo de la guerra.

Oh, mi dios, haya abundancia de maíz;
la tierna mata de maíz se estremece ante ti,
tiene fija en ti la vista hacia tus montañas, te adora.

Canto de nuestro señor el desollado bebedor de la noche, Xippe Totec Yohuallahuana (frags.)[22]

Copla
¡Qué bonito frijolito,
qué bonito se enmaraña!
Arriba, flores y guías,
abajo, vainas y vainas.[23]

Se fue la doncella a la milpa de Jun Batz y Jun Chowen, no hallando en ella más que tal cual pie de maíz; afligida invocó en su ayuda al que es Señor y Guarda del Bastimento, cogió los cabellos de una mazorca, sin arrancar ésta, y los metió dentro de la red, la cual se llenó al punto de mazorcas y los animales la cargaron. Al llegar junto a la casa ella hizo como que cargaba la red. Viendo la vieja aquella gran red se fue a la milpa creyendo que Xquic había acabado con ella, pero la halló entera. Regresando le dijo a la doncella:

—Basta esta señal, eres mi nuera.

Popol Wuj (frag.)[24]

LA COSECHA DE MUJERES[25]

José María Peñaranda

Se acaba la papa,
se acaba el maíz,
se acaban los mangos,
se acaban los tomates.

Se acaban las sandías,
se acaban los melones,
se acaban las ciruelas,
también el aguacate.

Estribillo

Y la cosecha de mujeres
nunca se acaba,

y la cosecha de mujeres
nunca se acaba.

Intérprete: Banda Móvil

DZO'OK IN TAAL[26]
(Maya)

Dzo'ok in taa(l) tin kool,
dzo'ok in taal(l) tin jooch,
dzo'ok in taasik nal
tia'ala mentik túun sa'.

Bu'ul yéetel sikil
yéetel jump'íit p'aak
beyxan yéetel k'úum
ti'a tuna much dzáaten.

Dzáaten ja'
yéetel iik ka'téen
tia'a lu beytal in k'uxik jach ki'.

(paax)

Dzo'ok in taa(l) tin kool...
(ku ka' a'ala'al tulakal) ka'téen

(paax)

MILPA
(Español)

Ya llegué de la milpa,
ya vine de cosechar,
ya traje elote
para hacer atole.

Frijol y pepita de calabaza,
y un poco de tomate
y también calabaza
par que por favor de mes.

Me des agua
y chile
para morderlo sabroso (*2 veces*).

(Música)

(*Se repite todo 2 veces*).

Canción yucateca a ritmo de jarana

Coplas
Si la mar fuera de atole
y sus olas de tortilla,
anduvieran las mujeres
recogiendo en las orillas.

Costa Chica, Oax.[27]

Yo no me doy en las veras,
porque no soy calabaza:
yo me doy en tierra buena
como la ciruela pasa

Tlatlauquitepec, Pue., 1968[28]

EL PAN CALIENTE[29]

Estribillo
Dormir, dormir,
cabecear, cabecear,
como la nieve de leche.

¡Kikirikí!
—Periquito, ¿ya está el pan?
—Estoy arando el campo.

Dormir, dormir, ...

¡Kikirikí!
—Periquito, ¿ya está el pan?
—Estoy sembrando el triguito.

Dormir, dormir, ...

¡Kikirikí!
—Periquito, ¿ya está el pan?
—Estoy esperando.

Dormir, dormir, ...

¡Kikirikí!
—Periquito, ¿ya está el pan?
—Estoy moliendo el trigo.

Dormir, dormir, ...

¡Kikirikí!
—Periquito, ¿ya está el pan?
—Estoy calentando el horno.

Dormir, dormir, ...

¡Kikirikí!
—Periquito, ¿ya está el pan?
—Estoy amasando la harina.

Dormir, dormir, ...

¡Kikirikí!
—Periquito, ¿ya está el pan?
—Lo estoy poniendo a cocer.

¡Kikirikí!
—¿Ya está el pan?
—Ya.
—¿De qué es el tuyo?
—De huevo.

—¿Y el tuyo?
—¡De semitas ahoga de perro!

Intérpretes: Los Hermanos Rincón
Juego infantil

AVENA[30]

D.P.

Avena, avena, avena,
nos trae la primavera;
avena, avena, avena,
nos trae la primavera.

Se colocan en círculo todos los que participan en este juego, los cuales han de ser en número impar, cantan la estrofa anterior cogidos de las manos, después van imitando sucesivamente lo que el verso indica:

Mi papacito la siembra así: *(bis)*

Hace ademán de esparcir la semilla y continúan cantando:

Se descansa a vez así, a vez así.
Suenen las manos,
suenen los pies,
damos la vuelta
con rapidez.

Se repite:

Avena, avena, avena
Mi papacito la corta así... *(bis)*

Hace ademán de segar con guadaña. Y así sucesivamente van repitiendo:

Mi papacito la amarra así...
Mi papacito la trilla así...

Y para finalizar, se dice lo siguiente:

Cuando las palomitas
llegan al agua,
abren el piquito
y tienden las alas.

Limón partido
y azucarado,
dame un abrazo
muy apretado.

En este momento se abrazan indistintamente, formando parejas de manera que siempre queda uno solo, que tiene que ocupar el centro del círculo al repetirse el juego.

Juego infantil

Copla

Rema, guarecita, rema,
rema para San Miguel,
que unos sembraron la tuna,
y otros se comen su miel.[31]

ALLÁ EN EL RANCHO GRANDE[32]

Estribillo
Allá en el Rancho Grande,
allá donde vivía,
había una rancherita
que alegre me decía:

Te voy a hacer tus calzones
como los usa el ranchero:
te los comienzo de lana,
te los acabo de cuero.

Allá en el Rancho Grande, ...

Te voy a hacer tu camisa
como la usa el ranchero:
con el cuello a media espalda
y las mangas hasta el suelo.

Allá en el Rancho Grande, ...

El gusto de los rancheros
es tener su buen calzado
y ponérselo el domingo
cuando bajan al poblado.

Allá en el Rancho Grande, ...

El gusto de los rancheros
es tener su buen caballo,

ensillarlo por las tardes
y darle vuelta al potrero.

Allá en el Rancho Grande, ...

El gusto de las rancheras
es tener su buen comal,
echar unas gordas largas
y gritarle al gavilán.

Allá en el Rancho Grande, ...

El gusto de las rancheras
es bajar al agua al pozo
y platicar con el novio,
y estar mordiendo el rebozo.

Allá en el Rancho Grande, ...

El gusto de las rancheras
es comprar su buen chomite
y sentarse por las tardes
con su cazuela de esquites.

Allá en el Rancho Grande, ...

Me enamoré de un ranchero
por ver si me daba elotes,
pero el ingrato ranchero
me daba puro azotes.

Otras versiones de coplas gastronómicas de esta canción están documentadas en el *Cancionero Folklórico de México*.[33]

El gusto de las rancheras
es tener su buen comal,
hacer las tortillas negras
y chiflarle al caporal.

El gusto de las rancheras
es tener su buen comal,
echar sus gordas de trigo
y gritarle al gavilán.

Nunca te fíes de promesas
y mucho menos de amores,
que si te dan calabazas,
verás lo que son ardores.

LA DOS MARÍAS[34]

Chavinda, Mich., 1939

Soy muy rancherito,
soy de Magallanes;
sé jugar albures
y también conquianes;
fumo mi cigarro,
tomo mi traguito
y busco mis novias
de lo más cuerito.

Estribillo
¡Ay, compadrito, señor!
¡Ay, qué bien va mi labor!
Si me da temprano,
grano por grano,
ya sin desgano
busco un amor.

¡Ay, yo seré escardador
del chayote regador!
Cuando se viene la tarde,
mire, compadre,
siento que me arde
hasta el corazón.

Tuve una María, y tan fría, tan fría,
que parecía hielo de noche y de día;
tuve otra María, que ardía, que ardía,
y hasta la mantequita creo que le escurría.

Pa' cuando se casen, les cuento este cuento,
jóvenes y viejos, oigan lo que siento:
María la que ardía y María la fría
me hicieron tamales de chivo y lejía.

Como soy ranchero
de pocas palabras,
cuento mentiritas,
pero no muy largas.

Una novia engaña,
dos hacen tarugo,

tres enseñan mañas,
cuatro hacen dos yugos.

Éste es el corrido
de mis dos Marías,
con las que hice surcos
y sembré sandías.

De las rancheritas
ardientes o frías,
cuídate, compadre,
toditos los días.

RA MAY'O TSATYO[35]
(Hña hñu)

N'aki da ma ra taí
ma d*e*tha ma ga h*a*
pa ga *e*nt'a a ma hme
en ga ma ra b'ay'o.

Ma tsatyo ya bi dú
gue'*a* mi sugagui
nub'*u*-ndi pa ra b'ayo
gue'*a* mi faxkagui.

N'aki ha ra mbonthi
da b'*e*di n'a ma y'o

ra miñ'o ya bi zi
hinto bi hñakuabi.

Ma tsatyo ya bi dú etc.

EL PERRO PASTOR
(Español)

Un día fui a la plaza
mi maíz fui a traer
para hacer mis tortillas
e irme a pastorear.

Mi perro se murió
él me cuidaba a mí
cuando iba a pastorear
él me ayudaba a mí.

Un día en el monte
un chivo se perdió
el coyote de lo comió
nadie se lo quitó.

Mi perro se murió...

Canción Hña hñu

MI VACA LECHERA[36]

Música: Fernando García Morcillo. Letra: Jacobo Morcillo Uceda.
México, D.F. 1947

Tengo una vaca lechera
no es una vaca cualquiera
me da leche merengada,
¡ay, qué vaca tan salada!
¡tolón, tolón!, ¡tolón, tolón!

Un cencerro le he comprado,
que a mi vaca le ha gustado;
se pasea por el prado,
mata moscas con el rabo
¡tolón, tolón!, ¡tolón, tolón!

¡Qué felices viviremos,
cuando vengas a mi lado!
Con sus quesos, con sus besos,
los tres juntos, ¡qué ilusión!
¡tolón, tolón!, ¡tolón, tolón!

Tengo una vaca lechera,
no es una vaca cualquiera,
me da leche merengada,
¡ay, qué vaca tan salada!
¡tolón, tolón!, ¡tolón, tolón!

Fox-Canción

LA VACA LECHERA[37]

Nicolás Reyes Hernández, 1988

Yo tengo una vaca pinta
en medio de aquel corral
pero la muy maldita
que no se deja ordeñar,
tolón, tolón, tolón, tolón, tolón, tolón *(bis)*

Préstame la cubetilla
antes que la vaca se eche,
para hacer la mantequilla
se necesita la leche,
tolón, tolón, tolón, tolón, tolón, tolón *(bis)*

Ya préstame la cubeta
que ya me voy a ordeñar,
antes que la vaca se eche
y se ponga a retozar,
tolón, tolón, tolón, tolón, tolón, tolón *(bis)*

Me gusta la leche,
también la mantequilla,
pero más me gustan
los ojos de Mariquita.

Me gusta la leche,
también el café,
pero más me gustan
los ojos de Inés.

Intérprete: Selva Negra

Coplas
Pescando en el mar salado,
me dijo don tío Genovevo,
que dicen en Alvarado
que a nadie le tiene miedo:
"Y para comer pescado,
hay que mojarse los huevos".

Veracruz
1965[38]

Un día puse un espinel,
a ver si podía pescar;
me decía una mujer,
queriéndome criticar:
"No te apures por comer,
que hambre no te ha de faltar".

Zapateado, Tuxtepec, Oax.,
1963[39]

BUSCANDO PECES[40]

Buscando peces y caracoles
le vi los ojos a una mujer,
y eran tan lindos como tan bellos
y otros iguales nunca he de ver.

Estribillo
¡Ay, cómo me quemaban!,
agua por Dios pedía,
y un tiburón decía:
"Eso sí que no hay aquí".

Allá en el mar, donde estuvimos
dentro del agua cerca de un mes,
había unos peces tan chiquititos
como la punta de un alfiler.

¡Ay, cómo me quemaban!

Muy de mañana te fuiste a misa,
de mala gana yo me vestí,
el desayuno quedó en la mesa,
tú no almorzaste ni yo comí.

¡Ay, cómo me quemaban!

El día que hiciste el arroz de leche
la cocinera se emborrachó:
en vez de azúcar, le echó jalapa,
y hasta la gata se vomitó.

¡Ay, cómo me quemaban!

Aunque pobre no soy desgraciado,
porque cargo mis enseres
para pescar toda clase de peces
y en las olas pensar en tu amor.

¡Ay, cómo me quemaban!

Muchos pescan truchas y salmones
y yo quiero pescar las chaparritas,
otros quieren pescar con aguijones
y yo tiro a pescar los corazones.

EL CAMPO Y LA CIUDAD[41]

Guillermo Velázquez Benavides, Xichú, Gto.

Yo soy la ciudad famosa
la que registran los mapas
me han visitado hasta papas
soy grande y soy populosa
aquí se vive y se goza
se aliviana el personal
cines, teatros, montonal
de jales y diversiones
no son vanas presunciones,
pero tú, ¿qué jais, carnal?

Soy el campo sin honores
y nada me facilitan
a mí sólo me visitan
candidatos habladores,
yo me vivo en mis labores,
trabajo, sudo, me mojo,
para evitarte un enojo
nada más no desafines

yo no me vivo en los cines
no soy como tú de flojo...

¿Flojo yo, la gran ciudad?
tu zoncera no se mide:
en mí todo se decide,
soy poder, soy voluntad,
soy centro de gravedad
de todo, hijo, de todito
y a ningún güey le permito
que ponga en duda mi altura
tú careces de cultura
no seas naco, carnalito...

Bájale a los decibeles
porque de en balde te amuinas
tú no eres más que oficinas
con inútiles papeles
tú no siembras, tú no mueles,
¿en qué fundas tus blasones?
nada sabes de estaciones,
eres transa, esmog y ruido
tú nada más eres nido
de políticos güevones...

¿Qué yo no sé de estaciones?
¿Y las del metro, qué pues?
Xola, Villa de Cortés,
sus líneas y conexiones...
jitomates y melones,
rábano, cebolla, pera,
lechuga y papaya entera,

manzanas, mangos chapiados,
nomás de ir a mis mercados
y encuentro lo que yo quiera.

Un mercado todo encierra
pero no preguntas cómo
tú nunca has doblado el lomo
para cultivar la tierra
ciudad, si me haces la guerra,
ojalá no te remuerda
nada más piensa y recuerda
que aunque me presumas traje
rompiéndosete el drenaje
apestas a pura... miércoles.

Pero yo tengo perfumes
lociones y crema en tarros
y hasta fabrico cigarros
para que tú te los fumes
y a mí de qué me presumes
si en cada puesto de tacos
a tus campesinos nacos
del diario los huelo y veo
que les apestan re'feo
las patas y los sobacos.

¿Y 'onde tienen la fineza
tus teporochos greñudos?
¡Cómo traen hasta hechos nudos
los piojos en la cabeza!
¿Y dónde está tu nobleza?
¿Dónde tu aroma de flor?

con tanto humo de motor
de veras apestas gacho
no le hagas pelos al macho
porque te mando un temblor...

Si me mandas un temblor
yo te mando una sequía
dos cuerpos de policía,
un líder y un senador
para que entres en calor
te mando la judicial,
campo, ya no seas nahual
en la pobreza naciste
tú no tienes ni de chiste
mi actividad industrial...

Tus industrias mucho valen
pero yo tengo las minas,
dime, las materias primas,
cuéntame de dónde salen:
sin manos fuertes que jalen
y saquen el metal preso
sin mi talento y mi seso
ciudad, tú nada tendrías
sin el campo tú valdrías
nomás lo que le unto al queso...

Pero esas materias primas
las recibo y las transformo
en la máquina, en el horno,
en calderas y turbinas...
De ahí salen las medicinas,

el tractor, la cremallera
y nada más considera
tú sin mis telas ¿qué harías?
¡Sin pantalón andarías
con el congnatín de fuera!

¡Vale más mi molcajete
que chatarra y oropel!
ya tu bimbo y tu barcel
me tienen hasta el copete
y sé que andas al garete
por tanta gente haces olas
y aunque dices que las rolas
y produces a granel
ya no te alcanza papel
para limpiar tantas colas...

Habló el buey y dijo ¡Mu!
no eres nada inteligente
si tengo exceso de gente
la culpa la tienes tú:
de San Luis y de Xichú
con la panza trashijada
me llegan como en manada
de dondequiera, caramba,
¡Me mandas a buscar chamba
puro indio pata rajada!

Si mis huaraches te pisan
dedícales esos churros
a los funcionarios burros
que todo lo centralizan,

pensadores que analizan
desmienten lo que me dices,
no escondas las cicatrices
con marquesinas y luces
por tanto esmog que produces
traes humo hasta en las... narices...

A pesar de los pesares
y aunque me señales vicios
tengo museos, edificios
y hermosísimos lugares
aquí hallas licor a mares
y ambiente cabaretero
aquí se sella el dinero
y en gastos no se repara
siquiera no tengo cara
de rancho bicicletero...

Tú eres contaminación
yo soy agua y aire puro
pan caliente, no pan duro,
yo soy río, tú garrafón;
serás mucha diversión
y a mí hasta me dirás mocho
y aunque seas dos por ocho
nomás es que te encerveces
cada lunes amaneces
con cara de teporocho...

No la haces carnal, no la haces
ni yendo a bailar a Chalma
soy la neta, soy el alma

aunque tú te me avoraces
mejor ya ni me amenaces
porque te sale al revés
campo, ¿a qué le tiras, pues?
¡Si aquí encuentras cada chava
que hasta se te cae la baba
con los cuerotes que ves!

¡Cuerotes los de las reses
que se crían en mis potreros!
y mis predios arroceros,
jícamas, cañas y nueces...
Tú de todo eso careces
y mejor ni me provoques
no me extraña que te aloques
y aunque eso sí no me ufana
en mí siembran mariguana
para que tú te des tus toques...

Campo, tú tienes lo tuyo
pero yo tengo lo mío
tengo eje vial y tú río
yo asfalto y tú garambullo
tú el algodón en capullo
y yo te hago el overol
tu sol es mi mismo sol
tú eres polka, yo bolero,
tú jarabe huapanguero
y yo mambo y *rock and roll*...

Sí tú tienes y yo tengo
si tú me das y te doy

no tiene caso que hoy
peliemos por abolengo
has de saber que yo vengo
con una justa porfía
causa de la carestía
la cosa ya huele a cuerno
¡Vengo a pelearle al gobierno
los precios de garantía!

¡Oye, qué casualidad,
también aquí hay carestía
me madrea la policía
y hay mil broncas en verdad!
veo que el campo y la ciudad
lloramos el mismo llanto
juntemos fuerza y quebranto
que nuestra energía se ahorre
para darles en la torre
a los que se friegan tanto...

Este pleito lo que hizo
fue hacerme ver, lo discierno,
que ni tú eres el infierno
ni yo soy el paraíso;
somos para el mismo guiso
como el agua y el perol
tomemos pulque o jaibol
va un son a ver si te empeñas
y enseguida tú me enseñas
a bailar el *rock and roll*...

Glosada en décimas

PREGONEROS Y AMBULANTES

EL TORITO DEL COMERCIO[42]

¡Oh, qué toro tan puntal,
a toditos ha arrastrado!;
parece perro del mal,
según nos ha revolcado.
Señores, ¡ah qué arranquera
y qué escasez de dinero!;
en la República entera
ya no se encuentra consuelo.

A todos, en general,
este toro ha revolcado,
ninguno se le ha escapado,
a toditos por igual;
éste es un toro puntal
que anda en toda la nación,
a todos, sin dilación,
nos ha causado algún mal
y dicen en pelotón:
"¡Ay, qué toro tan puntal!"

Al rico, pobre y aldeano,
arrieros y comerciantes;
el capital más constante
se lo ha llevado entre mano;
hoy todito ciudadano

ya ninguno se ha parado,
aunque sea el más afamado,
porque a toditos embiste;
¡ah, qué lamento tan triste:
a toditos ha arrastrado!

En Guanajuato, ¡ay Jesús!
a toditos los mineros
ya los ha dejado en cueros,
del Minerla de la Luz;
ni con ponerle la cruz
a semejante animal;
en Angangueo por igual,
Tlalpujahua, Real del Oro;
anda muy bravo ese toro,
parece perro del mal.

México, la gran ciudad,
todos los días, diariamente,
se sale bastante gente
por tan gran necesidad;
hay mucha calamidad
todo el comercio atrasado;
el arte más afamado
se lamenta diariamente,
muy asustada la gente,
según los ha revolcado.

A todos los minerales
los ha revolcado el toro;
ya ni la plata, ni el oro,
ni quien saque los metales;

pronto acabarán los reales
asegún lo que se espera;
por Nuevo León, la Frontera,
San Miguel y los Dolores,
no se oyen más que clamores:
Señores ¡ah, qué arranquera!

En la hermosa capital,
pueblos, villas y ciudades,
se ven mil calamidades
con ese toro del mal;
ni modo de echarle un pial,
porque es muy bravo y ligero;
anda todo el reino entero,
deja espantada a la gente,
y dice todo viviente:
¡Ah, qué escasez de dinero!

En Querétaro, aflicción,
por Salamanca y Celaya;
en el Valle, gran batalla
y en los pueblos del Rincón;
en esta villa de León,
Irapuato, Salvatierra,
la gente se desespera;
por Monterrey y Saltillo
todito es un baratillo
en la República entera.

Por San Luis del Potosí,
la hermosa Guadalajara,
el toro a toditos para,

los de San Blas y Tepic;
en el Real de Mapimí
le tienen mucho recelo;
por Durango dejó el pelo,
en Oaxaca gran porción,
dice hoy toda la nación:
"Ya no tenemos consuelo".

Puebla, Córdoba y Huamantla,
en Orizaba y Tepeaca,
Tacubaya, Tlalnepantla,
San Juan del Río y Huichapan,
rancho ni hacienda se escapan;
en el Real de Cardonal,
Ixmiquilpan, el Mezquital,
por caminos y potreros,
tumba muchos carreteros.
¡Ah, qué todo tan puntal!

Embiste a los reboceros,
tiendas y carnicerías,
obradores, pulquerías,
fábrica de cigarros;
toditos los zapateros
con las hormas se han tirado;
los canteros ha asustado,
sastres y talabarteros,
albañiles, carpinteros,
a toditos ha arrastrado.

A las pobres comideras
y a las que venden verdura;

entró con grande travesura
con toditas las fruteras;
revolcó a las cigarreras
y a las que venden tortillas,
ya les salen amarillas;
ya no tienen nixtamal
y dicen las pobrecitas:
"Parece perro del mal".

Ya nos deja sin camisa,
nos quitó hasta los calzones,
chaqueta ni pantalones,
no podemos ir a misa;
a la pobre María Luisa
el rebozo le ha rasgado,
toda la ha despilfarrado;
¡quién lo pudiera agarrar!
Nos habíamos de vengar
asegún nos ha arrastrado.

Las hijas de Tía Quiteria,
y también las del borlote,
toditas andan al trote
porque están en la miseria,
y nos dice Disideria,
que viene de la frontera:
"Yo morir ya me quisiera,
porque andando en la misión
he oído en conversación:
Señores, ¡ah, qué arranquera!

En Morelia y Zimapán,
Zacatecas y Toluca,
el Real del Monte y Pachuca,
Huauchinango, Ozumatlán,
Cuernavaca, Apatzingán,
el estado de Guerrero
anda el toro muy grosero,
no los deja ni dormir
y comienzan a decir:
¡Cuánta escasez de dinero!

Si todos los minerales
trabajara la nación,
cesaría la apuración
sacando muchos metales;
tendrían pesos y reales,
se acabaría la arranquera;
al toro su mal le diera,
todos con gusto y contento,
se nos quitaría el tormento
en la República entera.

No más a los extranjeros
no les ha llegado el toro;
recogen la plata y oro
y lo embarcan, muy ligeros,
en buques de pasajeros,
con mucha seguridad;
y hablándoles con verdad
son los del mero comercio,
y todos, en realidad,
ya no tenemos consuelo.

LOS INDITOS TZELTALES[43]

Tenejapa, Chis., 1957-1958

Soy indito, vendo maíz,
soy indito, vendo mi sal,
sigo contento, voy a vender
muy sabroso lo vas a comer.

Voy a buscar una linda mujer
la encontraré allá en la plaza,
voy a comprar cuando la encuentre
muy bonita la voy a mirar.

Voy a vender bastante maíz
voy a comprar buenas camisas.

LAGUNERITA[44]

Tenejapa, Chis., 1957

Lagunero soy, señores,
vendo maíz, vendo panelas;
traigo mi chaqueta prieta
y una casa muy bonita.

Lagunerita,
yo te quiero mucho,
porque eres honrada,
trabajadorcita.

EL GUAJITO[45]

Versión de 1930

Guajito, ¿a mí qué?,
que medio que traía ya lo gasté;
guajito, a mí no:
ya no te compro tu chicharrón.

Guajito, a mí sí,
métete por aquí;
guajito, a mí ya,
métete por acá.

Guajito, vente, pues,
vámonos, vámonos a Santa Inés;
guajito, toma un real,
compra tus dulces en el portal.

Es uno de los "sonecitos de la tierra"
que se han integrado en los jarabes.

TUXTLEQUITA[46]

Letra: Gervasio Grajales. Música: César Cruz Soto
1947

Cuando el sol se estaba hundiendo
detrás del Mactumactzá,
yo en el río te estaba viendo
remojar tu nixtamal.

Tuxtlequita, de lo lindo,
cuánto vale tu nucú,
tengo antojo de comerlo,
quiero que me lo vendás tú.

¡Ay, mi tuxtlequita linda!,
cuando yo te veo venir
me pongo tan colorado
como la flor del sospó.

Te esperaba que pasaras
bajo un árbol de masú,
para que yo te comprara
tu sabroso puxinú.

Atrás de aquel cerrito
hay un verde jocotal;
a una mula retozona
yo le pongo su bozal.

Cuando te vi, tuxtlequita,
con tu falda de color,
te pusiste colorada
como la flor del sospó.

Interpretación: Marimba Chiapas

Copla

Fruterita, párate en la puerta,
que me voy a despedir,
que aunque me vaya y te deje,

pero no des qué decir,
que mi amor es una rueda,
y rodando ha de venir.

Copla de la Lotería para "La frutera", Oaxaca.[47]

FELICITACIÓN INDÍGENA[48]

Región lacustre de Pátzcuaro, Michoacán

Yo soy la indita mexicanita,
que ando paseando por el portal,
vendiendo guajes y jicaritas
y tamalitos de sal y sal;
y aunque muy pobre, pero aseadita,
la guarecita viene a cantar,
y con permiso del concurrente,
las buenas noches les vengo a dar.

Yo quisiera *uno guacare*
de purito *tijocoti*
para dártelo, *soñiri*,
con un plato guajolote;
pus ya no hay, pus ya se acabó.

Por eso con el vergüenza [*sic*]
te cantamos la canción,
ofreciéndote un suspiro
de este nuestro corazón.

Tata niñito tus cari jicondachis
as que guari chuchandiro rimpiaqui

Aquí te traigo el pescado
de la laguna, señoris;
As que guari chuchandiro rimpiaqui,
la ra la la ra, la ra la la ra.

Aquí te traigo las peras,
guayabas y tejocotes,
y en cada esquina me paro:
"¿No me mercan los melones?"

Aquí te traigo las peras,
guayabas y los perones,
y en cada esquina me paro:
"¿No me mercan los guajolotes?"

—Indito, ¿por qué estás triste?
—Indita, por fandanguero.
Chinanda chi chiri macari
chinanda, chinanda
chi chiri mi tisare.

—Indito, vente conmigo pa'cá
a cantarle una canción
al buen siñori
que apreciamos aquí.

—Indita, ¿yo qué le digo,
si yo no sé el español?
—Indito, sigue mi canto,
y así lo haremos mejor.

Chinanda, chi chiri macari chinanda
chi chiri mi tisare.

Buen siñori churindes
que guari guarmen
buen siñori churindes
siempre churindes,
que guari guarmen.

Señor querido que haces amores
cantar queremos una canción,
todos estos tus servidores
que te deseamos felicidá.

Ya la guarecita se va,
dice que no ha de venir
hasta llegar a Taretán,
a comer panocha prieta [*sic*].

Ya la guarecita se va,
ya se montó en su mula;
dice que no ha de volver
hasta llegar Capula.

Ya la guarecita se va,
ya se cargó su quimil;
dice que no ha de volver
hasta los truenos de abril.

Ya la guarecita se va,
ya se montó en su macho;

dice que no volverá
hasta llegar a Paracho.

Ya la guarecita se va,
ya se cargó a su muchacho;
dice que no volverá
hasta llegar a su rancho.

La versión recopilada parece constar de dos canciones diferentes

EL PREGONERO DE CAMPECHE[49]

Choya Quijano

Éste es Campeche, señores,
la tierra del pregonero,
se eleva tal como el sol
y se oye con los luceros.

Las levanta muy temprano
con sus alegres palmadas
el gordito panadero
de imperial panadería,
el gordito panadero
de impedial panadería.

Pan, marchanta, pan caliente,
saramucha, pan batido
y hojaldras a tres por veinte,
pan dulce como los ojos
de la que es patrona mía.

Así pregona las guayas
el Barrio Santa Lucía:
guayas dulces, guayas frescas,
acabadas de bajar,
quién me las quiere comprar.

Tan negro como su suerte,
cansado de tanto andar,
así grita el carbonero
que está ya pa' reventar:
¡carbón marchanta, carbón!

Ahí viene el buen viejito
con su vitrina en la mano,
regalando a los niñitos
un turrón de buen tamaño,
regalando a los niñitos
un turrón de buen tamaño.

Ya me voy y no volveré a pasar
y la niña va a llorar
si no le compra un turrón,
ya me voy y no volveré a pasar
y la niña va a llorar
si no le compra un turrón.

Éste es Campeche, señores...

Canción tropical

PREGONES DEL PAPALOAPAN[50]

Lorenzo Barcelata

Ey, caballero,
cómpreme chucumiqui,
mojarra blanca y el camarón,
plátano siempre en boga.

Calabaza y melón;
traigo piña esmeralda hoy,
mangos, melocotón.

Y la caña de azúcar
para el buen paladar,
las naranjas y limas
que me va usted a comprar.

Traigo flores de caña,
el girasol;
siniriguipa y mito
lo vendo yo;
ahuacates y paguas
y verde limón.

Floración del Papaloapan,
rica, fuerte,
bella y brava mi región.

Las marcas señoriales
rumba en chital
son los fieles pregoneros

para placer,
y los güiros ideales
de este rincón.

Floración...

Canción tropical

EL RIQUI-RIQUI O PREGÓN DE LOS CAMOTES 1[51]

San Miguel Allende, Gto., 1951

Tengo mi riqui-riqui,
tengo mi quirriqui andando;
sólo que la mar se seque
no me seguiré bañando.

Estribillo
Camotes y más camotes,
melón-sandía, melón-zapote,
naranja dulce con jitomate,
chilito verde con aguacate.

Pa' sacarle el agua al coco
se le hace un agujerito;
que el que tiene medio baila,
y el que no, baila solito.

Camotes y más camotes, ...

Pregón

EL RIQUI-RIQUI O PREGÓN DE LOS CAMOTES 2[52]

A. Villafán

Apatzingán, Mich., 1957

Yo tengo mi riqui-riqui,
yo tengo mi riqui andando;
sólo que la mar se seque
no me seguiré bañando.

Estribillo
Camotes y más camotes,
melón-sandías, melón-zapotes,
naranjas dulces son jitomates,
chilitos verdes con aguacates.

El gusto de las rancheras
es tener su buen comal,
echar la tortilla grande
y chiflar de... *(silbido)*

El gusto de los arrieros
es tener sus buenos burros,
pa' salir a los caminos
y gastarse unos pesos duros.

Las muchachas de mi tierra
son como la verdolaga;
no más ven venir al novio:
"Mamá, yo quiero ir al agua".

Ya con ésta me despido
por las orillas del plan;
estos versos son compuestos
por el señor Villafán.

Pregón

PREGÓN DE LA NIEVE[53]

Distrito Federal, 1940

De la Sierra Morena
vienen bajando
un par de ojitos negros
de contrabando.
Canela, limón y leche,
vaso 'e nieve.

Dime qué virtud tiene
la seda negra,
que a todos entristece
y a mí me alegra.
Canela, limón y leche,
vaso 'e nieve.

Todo lo negro es triste,
menos tus ojos:
cuanto tienen de negro
tienen de hermosos.
Canela, limón y leche,
vaso 'e nieve.

No te revuelvas,
flor encedida,
que entre tanta amapolita
sólo tú eres maravilla.
Canela, limón y leche,
vaso 'e nieve.

Pregón

PREGÓN DEL ANTE[54]

Nochistlán, Zacatecas

¡Ándele, aquí está el ante!
¡ándele, cómprelo usted!,
a cuatro por medio
y a seis por un real,
mirando que el tiempo
está muy fatal.

A PREGÓN[55]

1956

Vengan, pues, a regalarse
con el ante de turrón:
tiene almíbar y canela
y es de un gusto seductor.

Vengan a comprar
el ante de almendra,
de anís y de azahar,
a cuarto por medio
y a dos por un real.

PREGÓN DE LOS AZUCARILLOS[56]

1939

Señorita, señorita,
de la mascada negra,
dígale a su mamacita
que si quiere ser mi suegra.

Estribillo
Vengan a comprar
versitos de a medio,
canciones de a real,
para la persona
que guste comprar.

EL TURRONERO[57]

1928

A mí me picó un mosquito
más abajo de la ceja;

no siento tanto el piquete
sino la roncha que deja.

Si piensas que te quería,
era por entretenerte,
que el amor que te tenía
ya se lo llevó la muerte.

Chinita, pelito negro,
te mando sólo avisar
que busques amores nuevos,
porque me voy a casar.

En la calle del Reloj
le di cuerda a mi fortuna;
porque el hombre que es tunante
no se conforma con una:
siempre quiere tener dos,
por si se enojare alguna.

A una niña en el portal
le expresé mi sentimiento,
y por medio que le di
me dijo que era yo harapiento:
¡cómo quiere que le dé más,
mirando como está el tiempo!

Estribillo
Turrón de almendra,
entera y molida,
turrón de almendra.

Pregón

EL PASTELERO[58]

¿Qué te han hecho mis calzones,
que tan mal hablas de ellos?
Acuérdate, picarona
que te tapaste con ellos.

Mi vecina de allí en frente
se llamaba Doña Clara,
y si no se hubiera muerto,
todavía así se llamara.

Pregón
¡A cenar! Pastelitos y empanadas
pasen niños a cenar.

Señorita, señorita,
de la mascada negra,
dígale a su mamacita
que si quiere ser mi suegra.

Las mujeres al querer
son como el indio al comprar,
aunque las despachen bien
no cesan de regatear.

A un Santo Cristo de fierro
yo mis penas le conté.
Y el Santo Cristo me dijo:
"¿Y a mí qué me cuenta usted?"

El pobre que se enamora
de mujer que tiene dueño
queda como el mal ladrón:
crucificado y sin permiso.

El pobre que se enamora
de una muchacha decente:
es como la carne dura
para el que no tiene dientes.

Un perdido muy perdido
que de perdido se pierde,
si se pierde, ¿qué se pierde,
si se pierde lo perdido?

Si quisiereis prosperar,
catrincitos de mi vida,
sacudid a los de abajo
y adulad a los de arriba.

Pregón

¡A cenar! Pastelitos y empanadas
pasen niños a cenar.

Como que te chiflo y sales,
como que vas a traer leña
como que te hago una seña
¿pa' qué te escribo?, ya sabes.

Antiguo pregón que el vendedor salpicaba
de coplas para atraer a los clientes

MERCADO DE VILLAHERMOSA[59]

Tabasco

Mercado de Villahermosa
con olor a pan de huevo,
a queso y a requesón,
tamalitos de maíz nuevo,
longaniza y chicharrón.

Eres el rey del chanchamito,
la pigua y el camarón,
también del pescado frito.

Mercado de Villahermosa,
te dedico mi pregón,
chiquirivito, traigo caimito,
la dulce guaya, piña sabrosa,
el marañón y la pitaya,
el tamarindo y la poba rosa.

Canción tropical

A SU MERCED[60]

Jesusa Rodríguez y Liliana Felipe, 1996

Para todo el que disfruta
de la verdura y la fruta,
va este danzón dedicado
a su Merced: El Mercado.

Platicaban las naranjas
que las limas son bien frescas
que la vulgar mandarina
se siente tan tangerina.
Y aconsejadas las tunas
por la pérfida manzana
se agarraron de botana
a las pobres aceitunas.

Estribillo
Todo pasa, todo pasa,
hasta la, hasta la, hasta la ciruela pasa.

Señora no sean frutas
que todas somos sabrosas,
aquellos se sienten reyes
pero son puros mameyes.

¡Uy, qué finas mis vecinas!
Se burló el prieto zapote
luego criticó al membrillo
que es como un gringo amarillo.

No sea usté tan chabacano
Contestóle la granada,
es usté zapote prieto
y nadie le dijo nada.

Todo pasa, todo pasa,...

Intérprete: Eugenia León
Danzón

LA TIENDA[61]

Siglo XIX, Veracruz

Sin diligencia ninguna
he logrado mis intentos:
abrir un establecimiento
en la famosa laguna.
Soñé con esta fortuna
hace muchísimos días,
comprendí que yo sería
hombre de mucho poder
y que llegaría a tener
lo que ninguno creía.

Una tienda bien surtida
donde encontrará usted sal,
manteca, garbanzo, cal,
y clavos en todas medidas;
de todo lo que usted pida:
cigarro, añil y tabaco,

hay sardinas machachaco,
cervezas de todas clases,
y si no le satisface,
pida otra cosa con taco.

Ajo, chile ancho y cebolla,
todo lo doy muy barato,
vendo botella de extracto,
yuca para carne de olla.
De oro bonitas argollas,
un gran surtido de aretes,
polvo por kilo y paquete,
navajas de rasurar,
y si se quieren pintar,
también tengo colorete.

Arroz, maíz, tractolina,
azúcar, jabón y café,
licor del que pida usted
encontrará en la cantina.
Muchísimas cosas finas,
entre ropa y mercería,
mil flores de chuchería,
horquillas y pasadores,
vinos de todos colores
y una gran perfumería.

Si busca usted medicina,
encontrará de patente,
vino reconstituyente,
de todo ungüento y glefina,

también tengo hemoglobina,
sal de higuera y carbonato.
Cuento con un aparato
de hilo de telegrafía,
para pedir mercancía
donde me den más barato.

Si busca "cafeaspirina",
encuentra usted y cafrión,
también tengo feligón,
lo mismo que roberina;
es buena la cibalgina
para el dolor de cabeza.
De billar tengo tres mesas
de buchaca y carambola,
cartucho para pistola,
que en Tlacotalpan es rareza.

Tengo aceite de guisar,
aceitunas y alcaparras,
hacha, machete, tarpala
y piedra de afilar.

Si desea un libro escolar,
lápiz, tinta, algún cuaderno,
no se vaya al quinto infierno,
visite usted mi surtido,
para que quede entendido
que mi comercio es moderno.

Toda clase de sombreros,
canica, liga de hule;

vendo petate de tule
y espejo de cuerpo entero,
cáñamo, trompo, balero,
muy bonita la diadema,
jabón de olor, talco y crema,
cepillo para los dientes,
hay preciosas plumas fuentes
para que escriba algún tema.

Son veracruzano

LA TIENDA DE MI PUEBLO[62]

Salvador Flores Rivera

Tuve una tienda en mi pueblo... ¡precioso lugar!
Te vendía de un camote de Puebla a un milagro a San Buto;
pitos, pistolas pa' niños te hacía yo comprar,
pa' tu cruda una panza o te inflaba una llanta al minuto.

Aros, argollas, medallas podías adquirir;
un anillo, un taladro, petacas, tu cincho de cuero,
te enterraba en el panteón,
te introducía en el cajón,
antes, con un zapapico te abría tu agujero;
me dabas para alquilar
alguien que fuera a llorar,
mientras lloraba alumbraba con vela tu entierro.

Leche, tu té, chocolate, tu avena o café;
te sacaba las muelas picadas, dejaba las buenas.
Pasas, el chicozapote, picones con miel,
había métodos, tubos o huevos o platos o leña.

Desde Apizaco ayocotes mandaba traer
y exportaba el chipote en cajones, también la memela;
chupones para el bebé,
de un agorero hasta un buey,
chochos y mechas, bizcochos, tiraba rayuela;
el día de madres vendí
lo que el día veinte metí:
nabos, zanahorias, ejotes y chile en cazuela.

Pluma en sacos de lona o tela de Juir;
había lomos y tallos de rosas, mangueras y limas;
mangos, mameyes, cojines, trasteros de aquí;
había zumo de caña, metates, tompiates, tarimas.

De un embutido a un chorizo podías tú llevar;
longaniza de aquella que traen los inditos de fuera;
te acomodaba al llegar en mi hotel particular,
tres pesos más te sacaba por la regadera.
Pero un buen día me perdí
y hasta mi tienda vendí,
sólo salvé del traspaso la parte trasera.

Tuve una tienda en mi pueblo... ¡precioso lugar!

Balada

EL BODEGUERO[63]

Richard Eugues

Siempre en su casa de frente está
el bodeguero y el cha cha chá
vete a la esquina y lo verás
atento siempre te servirá.

Anda en seguida, córrete allá
y con la plata lo encontrarás
del otro lado del mostrador
muy complaciente y servidor.

Bodeguero, ¿qué sucede?
¿Por qué tan contento está?
Yo creo que es consecuencia
de lo que en boga está.

Estribillo
El bodeguero bailando va
en la bodega se baila así
entre frijoles, papa y ají
el nuevo ritmo del cha cha chá.

Toma chocolate, paga lo que debes,
Toma chocolate, paga lo que debes,
Toma chocolate, paga lo que debes,
Toma chocolate, paga lo que debes,

El bodeguero bailando va...

Intérprete: Los Socios del Ritmo
Cha cha chá

EL RESTAURANTITO[64]

Mario Rodríguez

Hay un restaurantito, qué comilona
tacos de picadillo y barbacoa.

Hay tortas de aguacate y de jamón
y sin faltar la birria con su limón.

Va gente de la talla de Tacubaya
también de buena fe, de la Merced.

Va gente de altura, la de Tacuba
y de La Lagunilla, qué maravilla.

Y una mesera que se pasea
y se menea y al taco le da sabor.

Hay chilaquiles, hay sopes, pozole
¿qué gustan los señores?, estoy pa' servir a usted.

Hay un restaurantito, qué comilona
tacos de picadillo y barbacoa.

Hay tortas de aguacate y de jamón
y sin faltar la birria con su limón.

Va gente de colmillo de Peralvillo,
va gente de apetito, los de Tepito.

De muy buenas gargantas de Tlalnepantla
y de muy buen antojo, de la Bondojo.

Intérprete: Chico Ché y La Crisis
Cumbia

EN UNA FONDA[65]

Coplas del "Vale" Bejarano

Al llegar el Vale de su rancho en Popuyeca, con mucho apetito, entró a una fonda que había en el mercado de Alvarado, que estaba repleta de comensales, por lo que la mesera demoraba mucho en servir la comida y así, después de un buen rato, ya casi a gritos improvisó:

Acábenme de servir
sea presa de pata o pato
al hambre no hay que reñir,
pues en este mismo rato
estoy presto a recibir
de lo que me echen al plato.

Para su desgracia, era ya tarde y los clientes habían sido múltiples durante el día, de manera que ya sólo había arroz blanco y frijoles y le sirvieron arroz; fue entonces que dijo; ya molesto:

No hay cosa que no "emperole",
solamente de esto NO,
porque si no hay otro mole
la que el plato me sirvió
me dé a cambio unos frijoles,
que no me agrada este arroz.

Fue así que la mesera le sirvió los frijoles en el mismo arroz, y aquel hombre, todo contrariado y hambriento terminó diciendo:

Vale más beber pozole*
hasta perder el sentido
o comer pescado en mole,
y no comer tan seguido
arroz blanco con frijoles
como los que me has servido.

LA MESERA DE AQUELLA FONDA[66]

Santiago Uc

Me ha pasado una mala onda
con la mesera de aquella fonda
entré a comerme unos tacos
y ella me hizo carita
le ofrecí un tabaco
me dijo no, al menos ahorita.

* Bebida refrescante hecha con maíz fermentado.

Me ha pasado una mala onda...

Con mirada de promesa
y una sonrisa ensayada
se fue a atender a otra mesa
mientras yo me paladeaba.

El banquete prometido
nomás no llegué a probar
pues su celoso marido
es el dueño del lugar.

¡Ay, señor, qué mala onda!
con la mesera de aquella fonda
si le sonríe no le responda
a la mesera de aquella fonda.

¡Ay, señor, qué mala onda...

Intérprete: Chico Ché y la Crisis
Cumbia

LA MESERA[67]

Esteban Navarrete

En una fonda chiquita
que parecía restaurante,
me fui a comer unos tacos
porque ya me andaba de hambre;

ya ven que el hambre es canija
pero más el que la aguante.

Se me arrimó una morena
que estaba rete tres piedras,
me dijo qué se le ofrece
puede pedir lo que quiera;
señor, estoy pa' servirle,
aquí yo soy la mesera.

Cuando miré aquella prieta
se me olvidaron los tacos,
le dije: traiga cerveza,
de pollo sirva dos platos
y usted se sienta conmigo
pa' divertirnos un rato.

Le pregunté: ¿eres casada?
Me contestó: vivo sola,
pero antes de que le sirva
eche andar la sinfonola,
nomás le pones un peso
porque ésa no toca sola.

No sé ni cuántas tomamos
yo y mi amiga la mesera
el cuento es que hasta bailamos
al punto de borrachera;
bailamos "El Solterito"
y "La rajita de canela".

Ya cuando se hizo de noche
le dije: ¿a qué hora nos vamos?
Me contestó: chiquitito,
en eso si no quedamos
pero si traes dinerito
hasta una cumbia bailamos.

Corrido

POBRE DON[68]

Salvador Flores Rivera

En un puesto de madera un poco viejo,
un negocio floreciente puso un Don, Don Simón,
vende birria de carnero con pellejo,
peso el plato con cebolla y con limón... ¡ay, ojón!

Pero no sé cómo le dicen ahora
a los que son de muy noble corazón,
se pone a fiar y todos comen de gorra
y... pura birria de la birria saca el Don, ¡pobre Don!

Para colmo de sus males, un día al viejo
esta broma le jugó cierto gorrón, ¡pobre Don!
—De su birria de carnero y chivo viejo,
¿cuántos cazos vende al día, Don Simón? ¡Ay, chirrión!
—Pos verá asté, cinco cazos es la venta.
—Yo le diré cómo puede vender diez.

—¿Diez?, me haría un favor, porque no sale la cuenta.
—Sí, mi viejito, pero eso cuesta también, ¡ay, ojón!

Hablado
—Bueno, y ¿cuánto me va a cobrar por la receta?
—Pos... pos por ser para asté cien lanillas, estoy en oferta.
—Ya, ya, no sea carero, déjemela en cincuenta, ¿no?
—Ah, que Don Simón tan martillo, güeno, ni asté ni yo... setenta y cinco y ahí muere, ¿qué le parece?
—Pero... ¿está seguro de que venderé diez cazos de birria en vez de cinco?
—¡Segurolas, garantizado!
—Pos juega el gallo copetón.

En la caja no había ni cuarenta pesos.
pero el resto Don Simón lo consiguió, ¡pobre Don!
el negocio no dejaba ni pa' huesos
y la mosca le azotó con ilusión, ¡ay, chirrión!
—Ahí tiene asté, si es barato me dispensa
y dígame, ¿cómo puedo vender diez?
—Pos, llene bien los platos, viejo sinvergüenza,
ponga más caldo y más carnita y vende diez, ¡ay, ojón!

En un puesto de madera un poco viejo,
un negocio floreciente se cerró, ¡pobre Don!

Corrido

LA COCINA

Y viviendo todo género de animales, palos y piedras, los empezaron a golpear y a hablar las piedras de moler, comales, platos, cajetes, ollas, perros y tinajas, los maltrataban y denigraban.

Les decían los perros y las gallinas: "Muy mal nos tratasteis, nos mordisteis y comisteis, y así mismo os morderemos ahora".

Las piedras de moler les decían: "Mucho nos atormentasteis, y toda la mañana y toda la tarde no nos dejabais descansar haciéndonos chillar jolí, jolí, juquí, juquí, *cuando moléis maíz sobre nuestras caras; ahora probaréis nuestras fuerzas, moleremos vuestras carnes y haremos harina vuestros cuerpos".*

Popol Wuj (frag.)[69]

Por la señal de la canal,
que se cayó el viejo en el nixtamal.
Padre nuestro que estás en los cielos,
tú cuidas las vacas y yo los becerros.

Santa María, mata a tu tía,
dale de palos hasta que se ría.

Salve Regina mató a su gallina,
gimiendo y llorando la estuvo pelando.

Ole, ole, ole,
la olla de los frijoles.

Santa Magdalena,
la calabaza es la buena.

Santa Martina,
lo bueno está en la cocina.

Santa Teresa,
los elotes están en la artesa.[70]

Juego infantil

Coplas

Y no te escondas
en la cocina,
o ya verás
con mi tía Catalina.[71]

Cuando estés en la cocina,
y el humo te haga llorar,
acuérdate de tu amigo,
que nunca te ha de olvidar.[72]

Autógrafo escolar, México, D.F.
1965

Cuando estés en la cocina,
y el humo te esté ahogando,
acuérdate de tu amiga,
que de ti se está acordando.[73]

Autógrafo escolar, México, D.F.
1965

Se murió mi gallo tuerto:
¿qué sería de mi gallina?
Quiquiriquí, cantaba el gallo,
quiquiriquí, en la cocina.[74]

San Luis Potosí
1968

La manzana se pasea
de la sala al comedor:
"No me maten con cuchillo,
mátenme con tenedor".[75]

Tepeaca, Puebla
1967

Cocineros y cacharros

Los comales y las ollas les hablaron de esta forma:

"Dolor y pena nos disteis. Nos quemasteis nuestras bocas y rostros, siempre los teníamos tiznados y siempre puestos al fuego, nos quemasteis y abrasasteis y así ahora os quemaremos a vosotros."

Y los tenamastes o piedras en que se ponen las ollas al fuego les decían:

"Siempre nos tuvisteis al fuego causándonos gran dolor; ahora os quebraremos la cabeza."

Popol Wuj (frag.)[76]

EL COMAL Y LA OLLA

Francisco Gabilondo Soler

El comal le dijo a la olla:
—Oye, olla, oye olla,
si te has creído que yo soy recargadera
búscate otro que te apoye.

Y la olla se volvió hacia el primero:
—Peladote, majadero,
es que estoy en el hervor de los frijoles
y ni animas que deje para asté todo el brasero.

El comal a la olla le dijo:
—Cuando cruja no arrempuje,
con sus tiznes me ha estropeado ya de fijo
la elegancia que yo truje.
Y la olla por poquito se desmaya:
—Presumido, vaya vaya,
lo trajeron de la plaza percudido
y ni animas que diga que es galán de la pantalla.

El comal le dijo a la olla:
—No se arrime, fuchi, fuchi,
se lo he dicho a mañana, tarde y noche
y no hay modo que me escuche.

Mas la otra replicó metiendo bulla:
—¡Ay, rascuache!, no me juya,
si lo agarro lo convierto en tepalcates
y ni animas que grite pa' que venga la patrulla.

Ranchera

Coplas
Quisiera ser el bejuco
de tu leña, mi lucero,
para encender el fogón
que caliente tu puchero.

Valladolid, Yucatán
1967[77]

A la pila la falta el agua,
a un brasero, la lumbre

y al hombre, la palabra
a la mujer, la costumbre.

Glosada en décimas, Tuxtepec, Oaxaca[78]

LA ANTIGUA SAVIA DE NUESTRO SER...[79]

Guillermo Vázquez Benavides

LA ANTIGUA SAVIA DE NUESTRO SER
AFLORA VIVA, SE MANIFIESTA
EN DANZAS, RITOS Y EN CADA FIESTA
QUE TUMBA EL ÍDOLO DEL DEBER

Quinientos años de cruel conquista
francesa, inglesa, gringa, española...
nunca han podido contra la ola
de nuestra herencia, la indigenista;
y aunque nos duele y aunque contrista
lo que la patria llegó a perder
nunca ha dejado de renacer
—como las flores en los aromos—
todo el orgullo de lo que somos:

La luz eléctrica, el pavimento,
vértigo diario, celeridad,
la deslumbrante modernidad
ha soterrado todo aquel tiempo;
pero el instinto y el sentimiento
nunca han dejado de florecer

ni la memoria deja de arder
nos fundamenta como a una casa
aquel pasado de nuestra raza:

Los chichimecas en esta tierra
no doblegaron jamás el cuello
contra el despojo y el atropello
se defendieron en cruenta guerra.
Por medio siglo toda esta sierra
fue bastión firme de su poder
y no pudiéndolos convencer
ni cruz ni espada ni raciocinio
los sometieron al exterminio:

Con una magia que se entremete
en nuestras casas vive —aún ahora—
junto al motor de la licuadora
la piedra negra del molcajete
"la olla exprés" vive junto al cajete
y no es muy fácil de comprender
que siga el jarro para cocer
junto a los hornos de microondas
¡Hay realidades mucho más hondas!

Décimas

Coplas

...Y déle mucho que coma:
una ración de paloma.
Y que muela en el metate
nixtamal o chocolate.

Y si se pone en un brete,
aviéntale el molcajete...

Hilitos, hilitos de oro
(Fragmento)[80]

Tu marido fue de viaje
y te trajo un molcajete;
y del gusto que lo trajo,
ya lo saca, ya lo mete.

La sanmarqueña
(Frags. de México, D.F., 1963)

Las muchachas de hoy en día
son como la flor de otate,
son muy buenas para el novio
y malas para el metate.[81]

La sanmarqueña
(Frags. de México, D.F., 1963)

PARA PONERSE EN ESTADO[82]

Veracruz

Es muy preciso advertir
para ponerse en estado:
necesita el que es casado
hasta cama en qué dormir.

En fin, comienzo primero
a dar el primer desastre:
se necesita un metate,
pero antes, el molendero,
un armario y un bracero [*sic*]
lumbre, aventador y loza,
para que la noble esposa
venga todo a recibir
y no haya campo a decir:
"Me falta lo necesario,
es muy preciso advertir".

"Agua va" en el comestible,
máiz, frijol, manteca y sal,
también precisa la cal,
huevos, chile si es preciso;
éste es un gran compromiso,
arroz, panela y café;
cuántas cosas no diré,
y carne, que no he mentado,
especies, cebollas y ajos,
¡ay!, qué tremendos trabajos
para ponerse en estado.

De luz, papel y tabaco
no había dado explicación;
también precisa el jabón
y varias clases de trapo;
por todo es un gasto guapo;
para vivir con fijeza,
también precisa una mesa;
de asientos no hemos hablado;

según el uso ordenado
oiga estos buenos consejos
necesita el que es casado.

En fin, el cuarto es preciso
siempre que esté bien cerrado
y de petates rodeado,
por si hubiera compromiso.
En vivir siempre en servicio,
una vida no tirana,
precisa una porcelana
y un ropero conseguir
y así, conforme vivir
con estilo y con buen modo,
hasta cama en qué dormir.

Copla

Vera usted lo que es ternura,
junto a ese calabazate;
ya parece que la veo
agachada en su metate.[83]

1928

Coplas
Muchas no saber guisar
tantito chile con queso,
y ya se quieren casar:
¿de qué taconean tan recio?[86]

De las tres que vienen ahí
(Fragmento)
Michoacán

Glosada en décimas

Deja de tanto moler,
deja ya ese nixtamal,
vámonos pa' Estados Unidos
y allí vamos a gozar.[84]

Voy a hacer una escalera,
para subir hasta el cielo
y sorprender a San Pedro
cocinando y con babero.[85]

Autógrafo, México, D.F.
1965

Ese nombre sí le gusta, matarile rile ró
la pondremos en la olla para hacerla chicharrón
y a las doce de la noche nos daremos un sentón.

Amo a Tó (fragmento)

Copla
El querreque en un fandango
le quisieron hacer una treta:
ya lo iban a matar
y guisarlo con manteca.[88]

Chapulhuacán, Hidalgo
1868

EL COLÁS 1[87]
(coplas sobre la cocina)

—Amada Marcelina,
¿dónde estás que no te alcanzo?
—Estoy en la cocina,
guisando los garbanzos.

—Amada Marcelina,
¿dónde estás, que no te veo?
—Estoy en la cocina,
guisando los fideos.

—Amada Marcelina
¿por qué es que estás llorando?
—Es humo de la leña,
¿no ves que estoy guisando?

Versión Grupo Mono Blanco, Tres Zapotes, Veracruz
1965

Son jarocho

Las recetas

Coplas
Mamacita de mi vida,
ya me picó el alacrán;
si no quieres que me muera,
dame sopitas de pan.[89]

Costa Chica, Oaxaca

A mí nada se me olvida,
todo lo cargo en la mente;
ahora que voy de partida
te voy a dejar presente,
que en mi casa la comida
la guisan con aguardiente.[90]

Zapateado, Alvarado, Veracruz

FÓRMULA[91]

Luis G. Escolar, 1983

Una bruja fantástica
me dio una fórmula
para que tú me quieras.
Porque soy un romántico
porque soy tímido
esta noche espera

que te la voy a dar.
Echa unas gotitas dulces de mandarina
mezcla un poco de tomate con un rock'n'roll
añádele la de la playa con luna llena
y un corazón de melocotón.
Echa nieve con picante a tu guitarra
cose el brillo de una estrella a tu pantalón.
Deja que haga efecto lento
la medicina
verás que late tu corazón.

Estribillo
Una música linda
un lugar romántico
a la luz de una hoguera
para que tú me quieras,
una caricia cómica
un beso mágico
esta noche espera
que te la voy a dar.
Echa unas gotitas...

Intérprete: Grupo Menudo

EN TODA LA EXTENSIÓN DE LA PALABRA AMOR[92]

Jaime López

En toda la extensión
de la palabra amor

caben unas cuantas dudas,
otras tantas muy agudas,
cien respuestas de cien gentes,
cien preguntas en la mente,
dos monólogos o más
y los gritos de las masas
en toda la extensión
de la palabra amor.

En toda la extensión
de la palabra amor
caben besos y zarpazos
y han de estar ahí los brazos
de aquella Venus de Milo,
los ejércitos de Atila,
cabe incluso la prisión,
todo es válido, señores,
en toda la extensión
de la palabra amor.

En toda la extensión
de la palabra amor
caben lágrimas y risas,
versos, teatros y cronistas,
cuatro letras sin sonido,
un sonido con sentido,
un chispazo de emoción
y la mar de decepciones
en toda la extensión
de la palabra amor.

En toda la extensión
de la palabra amor,
además de una alcahueta,
caben tríos y parejas,
burros, víboras y gansos,
los de uno y otro bando,
hermandades y mecenas,
es más, cabe hasta la suegra
en toda la extensión
de la palabra amor.

En toda la extensión
de la palabra amor
hay que echar un diente de ajo,
media cucharada 'e clavo,
tres toneles de vinagre,
su pellejo de tomate,
una pizca de pasión,
corazón atravesado
en toda la extensión
de la palabra amor.

Canción

YA ESTÁ LA SALA REGADA[93]

Chihuahua, *ca.* 1930

Ya está la sala regada
con aguardiente y mistela;

parece que se han juntado
el clavo con la canela.

Bendiga Dios la hermosura
de los dos que andan bailando;
uno parece la luna,
otro el lucero brillante.

De la pila salta el agua
y el zacate verde nace;
¡cómo dicen que no saben,
y hasta con la zurda le hacen!

Una naranja sazona
y otra está sazonando;
¡qué bonito es el amor
cuando se está comenzando!
La mujer que anda bailando
trae perlas en el pescuezo,
el hombre que la acompaña
¿por qué no le brinda un beso?

RUMBA, SAMBA, MAMBO[94]

Cheni Navarro-C. S. Twerdy-B. Whittier-P. Vidal, 1992

Rumba, samba, mambo...
Pon tu mano sobre mi cuerpo
y mi boca en tu piel
mira cómo me muevo,

te vas a enloquecer,
quiero beberme todo tu ser
hasta hacerte gritar de placer
para poder cantar,
oh, ao-oa oh,
oa-oa, oh, oa-oa
rumba, samba, mambo...
rumba, samba, mambo...
Da dos pasos a'lante
y dos pasos atrás
ten cuidado al tirarte
no te vaya a pesar
bailando con tu amor
todo puede cambiar
oh, oa-oa, oh, oa-oa; oh oa-oa
rumba, samba, mambo...
Ponga en su copa café
unas gotitas de ron
canela en rama, limón
y agítelo con pasión.

Intérprete: Loco Mia

Los condimentos

Coplas

Eres rosa y eres rosa,
y eres clavo de comer,
eres azucena hermosa
cortada al amanecer.[95]

La Rosa, Huitzilán, Puebla

¡Dios me libre de una honrada,
de esas que se santifican,
que son como la pimienta:
cuando no amargan, pican![96]

Costa Chica, Oaxaca

LOS CHILES VERDES 1[97]

Ma. Andrea, Puebla, 1956

Como es tanto el sentimiento,
me has llamado la atención,
conque negra, te siento
que te amo con afición.

En la playa Santa Anita
chiles verdes te daré:

vámonos a dar la vuelta
que allá te los compraré.

Ya dicen que la mujer
Dios le ha dado bello nombre;
con su modo de querer
enciende los corazones;
ahí no vale ni el saber:
todo se vuelve ilusiones.

Hora sí, china del alma,
vámonos para Tenango,
a vender los chiles verdes,
porque se están madurando.

Con tu boquita encendida,
cuando ya me hayas dejado,
puedes darme una mordida,
aunque me dejes pintados
todos tus dientes, mi vida:
eso no tiene cuidado.

Estribillo
Chiles verdes me pediste,
chiles verdes te vo'a dar;
vámonos para la huerta,
allá te lo[1] *vo'a cortar.*

Son jarocho

LOS CHILES VERDES 2[98]

Veracruz, 1964

Éstos son los chiles verdes,
que los venden en la plaza;
que si el atole está bueno,
la atolera se está agriando.

Estribillo
Chile verde me pediste,
chile verde te he de dar;
chile verde que lo venden
en las plazas al pasar.

Chile verde me pediste,
chile verde te he de traer;
éstos son los chiles verdes
que le llevo a mi querer.

Son jarocho

LOS CHILES VERDES 3[99]

Alvarado, Veracruz

Chile verde me pediste,
chile verde te he de dar:
¿para qué son los chiles verdes,
si no son para almorzar?

Dicen que el chile maduro
tiene dulce la puntita,
también mi chinita tiene
dulce su bella boquita.

Mi chinita tiene
dulce su conversación,
también mi chinita tiene
dulce su corazón.

Son jarocho

LOS CHILES VERDES 4[100]

Tlacotalpan, Veracruz

Dicen que el chile maduro
tiene dulce el corazón,
también mi chinita tiene
dulce su conversación.

Estribillo
Chile verde me pediste,
chile verde te he de dar;
¿para qué son los chiles verdes?
Señora, para guisar.
Yo te llevaré a un paseo
a ver a los chiles verdes
cuando están en su floreo.

Son jarocho

Coplas
Chile pasilla,
chile mulato,
dénle de palos
a los del banco.[101]

México, D.F.
1965

Chile poblano,
chile pasilla,
echen a palos
a los de la silla.[102]

México, D.F.
1964

EL CHILERO[103]

Jalisco, 1925

¡Pobrecito del chilero!
tenía su huerta en la orilla,
porque la pobre chilera
le arrimaba la semilla,
pa' que de todo tuviera:
chile ancho y chile pasilla.

¡Pobrecito del chilero!,
se fue pa' Guadalajara,

porque la pobre chilera
purito chile le enviaba
porque todavía el tomate,
todavía no maduraba.

¡Pobrecito del chilero!,
se fue para Santa Clara,
porque la pobre chilera
quería que se lo ensartara;
seguro que en un tompeate,
todito se lo tomaba.

¡Pobrecito del chilero!,
todo se le va en llorar,
porque se le está cayendo
la fruta de su chilar;
pa' que no se le cayera,
puso el suyo de puntal.

¡Pobrecito del chilero!,
tenía su chile entrojado;
como caía una gotera,
lo sacó todo mojado.

El chilero y la chilera
se cayeron en un charco;
y la chilera le decía:
"Ya te estás quedando zarco".

El chilero y la chilera
se cayeron en un pozo

y la chilera decía:
¡Ah, qué chile tan sabroso!

El chilero y la chilera
se cayeron en el río;
y la chilera le decía:
"¡Ya te estás quedando frío!"

Son jalisciense

NO SABES, CHINA DEL ALMA[104]

Jalisco, 1930

Estribillo
No sabes, china del alma,
las borandungas que traigo aquí:
cebollas y chiles verdes,
jitomates y perejil.

Cuando uno quiere a una,
y ella a uno no lo quiere,
viene a ser como algún calvo
que en la calle se halla un peine.

No sabes, china del alma...

Si te aprieta el zapatito,
mándaselo al zapatero,

que le aumente un poco más,
o que te devuelva el dinero.

No sabes, china del alma...

Si quieres casarte a gusto,
busca, niña, un carbonero,
y así tendrás dos maridos:
uno blanco y uno negro.

No sabes, china del alma...

GOZA, GOZA, MARIPOSA[105]

Consuelo Castro

No sabes pasear de a una (¡ay, mi bien!)
y quieres pasear de a dos
y luego te quedas sin la una y sin dos,
mirando al cielo a mi Dios.

No sabes tocar guitarra (¡ay, mi bien!)
y quieres tocar violín;
no saber "la cucaracha",
y quieres tocar Chopin.

Estribillo
Goza, goza, mariposa,
dándote la lija
de que vales gran cosa.

Ya estará cebolla,
ya estará cilantro,
ya estará epazote;
¡ni que olieras tanto!

No tuviste pa' zapatos (mi bien)
y quieres usar botines;
y ansina te veo pavoneando,
huarache con calcetines.

No tienes ni p'al tranvía (¡ay, mi bien!)
y quieres tu Cadillac;
no sabes tomar tequila,
y quieres tomar cognac.

Copla
Si tu mujer es celosa
dale a beber epazote,
y si además es chismosa,
pues pégale con un garrote.[106]

Valladolid, Yucatán

YERBERITO MODERNO[107]

Néstor Milli

Se oye el rumor de un pregonar que dice así:

¡El yerberito llegó, llegó!

Traigo yerbasanta, pa' la garganta,
traigo beispón, pa' la hinchazón,
traigo abrecamino, pa' tu destino,
traigo la ruda, pa' l que estornuda.

También traigo albahaca, pa' la gente flaca,
el epazote, para los brotes,
traigo el betivé, para el que no ve,
y con esa yerba se casa usté.

Intérpretes: Celia Cruz y la Sonora Matancera

Copla
Corté la flor de aguacate,
revuelta con perejil.
Cuando la luna esté tierna
te mandaré a pedir,
para casarme contigo
por la iglesia y por lo civil. [108]

Veracruz
1958

EL HUERTO DE DOÑA ANA[109]

Dormida está Doña Ana.
La luna en su jardín.

Dondiego en la ventana
velando su dormir.

Entremos a su huerto
por malva y perejil,
por fresas y romero,
por flores y alhelí.

Dormida está Doña Ana.
La luna en su jardín.
¡Entremos, niño, al huerto,
que ya dondiego apaga
la luz de su candil!

Juego infantil

DOÑA ANA[110]

Doña Ana no está aquí
que está en su vergel,
abriendo la rosa
y cerrando el clavel.

Vamos a dar la vuelta
del toro, toronjil,
a ver a Doña Ana
comiendo perejil.

—¿Quién es esa gente,
qué pasa por aquí?
Ni de día ni de noche
me dejan dormir.

—Somos los estudiantes,
que venimos a estudiar
a la capillita de oro
de la Virgen del Pilar.

Las dos primeras estrofas son seguramente restos de un romance tradicional.

Juego infantil

MILANO[111]

Vamos a la huerta
del toro, toronjil,
a ver a Milano
comiendo perejil.

Milano no está aquí,
está en su vergel
abriendo la rosa
y cerrando el clavel.

Mariquita, la de atrás,
que vaya a ver

si vive o muere,
si no para correr.

Tras sortearse para saber quién va a ser el Milano, el que resulte se retira a un lugar apartado y finge dormir. Los demás niños, puestos en hilera y cogidos por la cintura, van desfilando y cantando las dos primeras estrofas; al concluir la segunda, se detienen y entonan la tercera con el fin de dar lugar a que el último de la fila se acerque a donde está Milano y le toque la frente. Quien dirige el juego funge como "madre" y pregunta: "¿El Milano está muerto o está sano?"; la niña que fue a ver a Milano contesta sucesivamente: "está indispuesto", "tiene catarro", "tiene calentura", "está haciendo testamento", "está agonizando", "Milano está muerto". A cada respuesta regresa la niña a su lugar y vuelven a entonar las dos primeras estrofas, en las circunstancias señaladas. Al decir "está muerto", todos se dispersan y aquel a quien Milano alcanza, pasa a ocupar su lugar.

Juego infantil

CON UN POLVO Y OTRO POLVO[112]

Rubén Méndez, 1957

Con un polvo y otro polvo
se formó una polvareda;
una copa y otra copa
hacen una borrachera.

Con rositas y claveles
se formó un ramo de flores,
y yo con esa güerita
el mejor nido de amores.

Estribillo

¡Y ay, ay, ay, ay!,
¡qué borracho vengo!
Y ábreme la puerta,
que me ando cayendo:
de ventanas y paredes
me he venido deteniendo.

Y ya no siembro yerbabueba,
porque me salió cilantro;
esta noche duermo en medio,
porque en la orilla me espanto.

Ya no sé por qué las güeras
siempre me huelen a poleo;
si esta noche no la viera,
toda me la parrandeo.

¡Y ay, ay, ay, ay!, ...

Una gallina variada
empolló un guajolotito;
eso sucede a menudo
con cualquier animalito.

Canción ranchera

Coplas
Yo sembré una yerbabuena
donde el agua no corría;
yo le di mi amor primero
a quien no lo merecía.[113]

La sanmarqueña (frags.), tradición oral,
México, D.F.
1963

Con ésta ya me despido
de la yerbabuena loca;
este pobre enamorado
quiere el dulce de tu boca.[114]

Las muchachas de mi tierra
son como la yerbabuena;
arriba tienen la fama
y abajo la cosa buena.[115]

Oaxaca, Oaxaca
1965

Sembré una mata de yerbabuena,
y se me volvió quelite;
amor, ya no me atormentes,
que ya tengo quien me invite.[116]

Costa Grande, Guerrero

LA YERBABUENA[117]

Álvaro Carrillo
Jamiltepec, Oaxaca, 1962

La frondosa yerbabuena
que sembramos, se secó.
La pasión de ayer, mi nena,
poco a poco se acabó.
Sólo la alegre chilena
que cantamos, ésa no.

Estribillo
Que me voy, me voy, me voy
que me voy de aquí,
tú pensando en que me voy,
yo pensando en ti.

Se secó la yerbabuena,
pero fue por mala suerte.
Si te siguen molestando
que porqué he venido a verte,
diles que me estás amando,
y que estoy pa' sostenerte.

Que me voy, me voy, me voy...

Se secó la yerbabuena
a pesar de mis cuidados.
A mí me van a tratar
como se trata al pescado,

que se agarra con trabajo
y se come con cuidado.

Que me voy, me voy, me voy...

La mujer que se me agacha
la enderezo como sea.
Tú pa' mi eres pura facha,
tú no aguantas la pelea.
Hoy me dejas la muchacha
o me dejas la jalea.

Que me voy, me voy, me voy...

Me despido pero vuelvo
pa' demostrar lo que valgo.
Apolinar, no tengas miedo
que aquí tienes mi respaldo.
Ahora es cuando, yerbabuena,
le has de dar sabor al caldo.

Que me voy, me voy, me voy...

Son de Costa Chica

Copla

Ya no siento la cautela,
pero sí me da dolor
que hayas cambiado canela
por cáscara sin olor.[118]

Costa Chica, Oaxaca

LA RAJITA DE CANELA[119]

Rafael López Ruiz, 1975

A Marina le gustaba,
le gustaba la canela,
y yo siempre le tenía
su rajita de canela.

Y yo siempre le decía:
no te la puedo dar,
que te puede quemar,
es como la canela.

Estribillo
Yo quiero que me des
la rajita de canela.

Intérprete: Los Cuatro Brujos
Cumbia

CANELA FINA[120]

Edwin Alvarado, 1981

Del color de tus cabellos
es tu perfumada piel
y tu boca de gitana
sabe a miel de primavera.

Yo que sólo iba de paso,
al mirarte me detuve
y en el brillo de tus ojos,
el embrujo de tu cuerpo,
encontré yo mi destino.

Y en el brillo de tus ojos (*se repite*)

Canela fina color a flor de trigo,
luz de alborada y piel de terciopelo,
canela fina, volcán de medianoche,
flor de amapola, madera de guitarra.

Canela fina, por Dios di qué me
has dado,
porque de pronto por ti yo estoy loco.

Canela fina, por Dios...

Intérprete: Roberto Jordán

LA ZARZAPARRILLA[121]

San Pedro Piedra Gorda, Zacatecas,
1948

Tome usted la zarzaparrilla
y píldoras de Bristól,
tome usted las Jesusitas,
que son del mejor sabor.

Linda de mi vida,
prenda de mi corazón,
vámonos a misa a Lagos,
que ya repican en León.

Manzana, ¡quién te comiera!,
acabada de cortar,
con ese color por fuera
y tu sabor sin igual.

NOTAS

[1] Albertina Sarabia E. (adv., vers. y voc.), *Popol Wuj*, México, Porrúa (Sepan cuantos..., 36), 1986, '', pp. 103-104.

[2] Ángel Ma. Garibay (sel., vers., introd. y notas), *Poesía indígena de la Altiplanicie*, México, UNAM (Biblioteca del Estudiante Universitario, 11), 1962, p. 6.

[3] Mario Kuri-Aldana y Vicente Mendoza Martínez, *Cancionero popular mexicano*, tomo I, México, SEP, 1987, p. 114.

[4] Margit Frenk Alatorre *et al.*, *Cancionero folklórico de México (CFM)*, tomo V, México, El Colegio de México, 1985, p. 233.

[5] Extraída de los ficheros del CFM-Centro de Estudios Lingüísticos y Literarios/El Colegio de México.

[6] Acervo fonográfico del archivo técnico de la Unidad Regional de Culturas Populares, Acayucan, Veracruz (en adelante U. R. Acayucan). Existen otras versiones, pero ésta es la más completa.

[7] Mercedes Díaz Roig y Ma. Teresa Miaja, *Naranja dulce, limón partido: antología de la lírica infantil mexicana*, México, El Colegio de México, 1970, p. 40.

[8] *CFM, op. cit.*, tomo V, p. 224.

[9] Gerardo Can Pat, *La nueva canción maya II*, México, INI/Sedesol (Letras Mayas Contemporáneas, 35), 1994, p. 49.

[10] Raúl Guerrero Guerrero (rec., introd. y notas), *Poesía indígena y popular de México*, tomo I, Hidalgo, México, Gobierno del Estado de Hidalgo/ Biblioteca Hidalguense Arturo Herrara Cabañas (Letras, 1105), 1995, pp. 305-306.

[11] *Idem.*

[12] *CFM, op cit.*, tomo I, copla núm. 1741.

[13] *CFM, op. cit.*, tomo V, p. 197.

[14] Recopiló el señor Roberto Sánchez Tezoco, promotor cultural de la Unidad Regional de Culturas Populares Jalapa, en la comunidad de Zacatlaixaco.

[15] Proporcionó el autor.

[16] *La nueva canción maya, op. cit.*, p. 45.

[17] *Ibid.*, p. 41.

[18] Proporcionada por el autor. Esta pieza obtuvo el primer lugar en el concurso de chilenas del Festival en Homenaje a Agustín Ramírez, en San Marcos, Guerrero, octubre de 1992.

[19] *CFM, op. cit.*, tomo V, p. 288.

[20] *Poesía indígena..., op. cit.*, p. 13.

[21] *CFM, op. cit.*, tomo V, p. 99.

[22] *Poesía indígena..., op. cit.*, p. 15.

[23] *CFM, op. cit.*, tomo IV, copla núm. 8601.

[24] *Popol Wuj, op. cit.*, p. 51.

[25] Álbum de oro núm. 205, "*Bandas vol. 2*", México, Jainibi, 6 de diciembre de 1993, p. 53.

[26] *La nueva canción..., op. cit.*, p. 65.

[27] *CFM, op. cit.*, tomo IV, copla núm. 9119.

[28] *CFM, op. cit.*, tomo III, copla núm. 6659.

[29] Los Hermanos Rincón, *Lírica infantil mexicana*, vol. III, Polydor, 16550, 1895.

[30] Vicente T. Mendoza, *Lírica infantil de México*, México, FCE (Lecturas Mexicanas, 26), 1984, p. 116.

[31] *CFM, op. cit.*, tomo III, copla núm. 8526.

[32] *CFM, op. cit.*, tomo V, p. 1033.

[33] *Idem.*

[34] CFM, *op. cit.*, tomo V, p. 169.

[35] Víctor Hugo Noguerola, *Música hñahñu*, Hidalgo, México, Gobierno del Estado de Hidalgo/Instituto Hidalguense de la Cultura, 1992, pp. 165-166.

[36] Polygram Discos LPR 15350, proporcionó la Sociedad de Autores y Compositores de México (SACM).

[37] Proporcionó la SACM.

[38] *CFM, op. cit.*, tomo III, copla núm. 8558.

[39] *Ibidem.*, copla núm. 7052.

[40] *CFM, op. cit.*, tomo V, p. 123.

[41] Guillermo Velázquez Benavides, *Fiestas y quebrantos. Poesía decimal campesina*, México, CNCA/DGCP, 1977, p. 38.

[42] *CFM, op. cit.*, tomo IV, pp. 334-336.

[43] CFM, *op. cit.*, tomo III, copla núm. 6293.

[44] CFM, *op. cit.*, tomo V, p. 203.

[45] *Ibid.*, p. 186.

[46] Proporcionó el autor.

[47] CFM, *op. cit.*, tomo II, copla núm. 2988.

[48] CFM, *op. cit.*, tomo V, p. 177.

[49] Mario Kuri-Aldana, *Cancionero popular mexicano*, tomo I, México, CNCA, 1987, p. 212.

[50] *Cancionero mexicano*, núm. 157, s/f.

[51] CFM, *op. cit.*, tomo V, p. 263.

[52] *Idem.*

[53] *Ibid.*, p, 255.

[54] *Ibid.*, p, 256.

[55] *Idem.*

[56] *Idem.*

[57] *Ibid.*, p, 292.

[58] *Ibid.*, p, 248.

[59] Proporcionó Gregorio Márquez, de Comalcalco, Tabasco, el 7 de octubre de 1997, en México, D.F.

[60] *Eugenia León en directo* con la orquesta de Baja California, director Eduardo García Barrios, OCB/Cerca del mar, 1996, DC-90.

[61] Ricardo Pérez Monfort, *Tlacotalpan, la Virgen de la Candelaria y los sones*, México, FCE (col. Popular, 468), 1992, pp. 18-20.

[62] Proporcionó la señora Rosalinda Macedo vda. de Flores.

[63] *Guitarra Fácil*, núm. 149, *Los Socios del Ritmo y Chico Ché*, México, Ed. Libra, s/f, p. 43.

[64] Álbum de Oro núm. 151, *Chico Ché y La Crisis*, México, Jainibi Editores, s/f, p. 20.

[65] Alejandro Hernández Zamudio (recopilador), *Anecdotario poético del "Vale" Bejarano*, Veracruz, Ver., Unidad Regional de Culturas Populares Xalapa, 1995, pp. 53-54.

[66] Álbum de Oro núm. 151, *op. cit.*, p. 37.

[67] Sebastián Verti, *Para ti, canciones inmortales de México*, México, Diana, 1996, p. 210.

[68] Proporcionó la señora Rosalinda Macedo viuda de Flores.

[69] *Popol Wuj*, *op. cit.*, p. 13.

[70] *Naranja dulce...*, *op. cit.*, p. 48. Parodia de la oración.

[71] CFM, *op. cit.*, tomo III, copla núm. 8427.

[72] CFM, *op. cit.*, tomo IV, copla núm. 9081.

[73] *Ibid.*, copla núm. 9082.

[74] CFM, *op. cit.*, tomo III, copla núm. 5848.

[75] CFM, *op. cit.*, tomo IV, copla núm. 9834.

[76] *Popol Wuj*, *op. cit.*, p. 14.

[77] CFM, *op. cit.*, tomo I, copla núm. 832.

[78] CFM, *op. cit.*, tomo II, copla núm. 4731.

[79] *Fiestas y quebrantos*, *op. cit.*, p. 67.

[80] *Lírica infantil...*, *op. cit.*, p. 128.

[81] CFM, *op. cit.*, tomo III, coplas núms. 5372 y 5530.

[82] CFM, *op. cit.*, tomo IV, pp. 332-333.

[83] CFM, *op. cit.*, tomo II, copla núm. 4902.

[84] *Ibid.*, copla núm. 4898.

[85] CFM, *op. cit.*, tomo IV, copla núm. 9011.

[86] CFM, *op. cit.*, tomo II, copla núm. 5540.

[87] CFM, *op. cit.*, tomo V, p. 146. "El Colás" es un son jarocho de interpretación muy libre, generalmente se usa para hacer improvisaciones. Sus coplas con referencia gastronómica se han agrupado en dos "versiones" diferentes, aquí, sobre la cocina, más adelante sobre los tamales.

[88] CFM, *op. cit.*, tomo III, copla núm. 6086.

[89] CFM, *op. cit.*, tomo I, copla núm. 859.

[90] CFM, *op. cit.*, tomo IV, copla núm. 9168.

[91] *Notitas Musicales*, México, D.F., 15 de marzo de 1983, p. 57.

[92] Roberto González y Jaime López, *Sesiones con Emilia, Roberto y Jaime*, Fotón estéreo LPF-033, s/f.

[93] CFM, *op. cit.*, tomo V, p. 53.

[94] *Notitas Musicales*, México, D.F., 1 de noviembre de 1992, p. 65.

[95] CFM, *op. cit.*, tomo I, copla núm. 83a.

[96] CFM, *op. cit.*, tomo II, copla núm. 5546.

[97] CFM, *op. cit.*, tomo V, p. 160.

[98] *Idem.*

[99] *Idem.*

[100] *Idem.*

[101] CFM, *op. cit.*, tomo III, copla núm. 8423.

[102] *Ibid.*, copla núm. 8424.

[103] CFM, *op. cit.*, tomo V, p. 159.

[104] *Ibid.*, p. 233.

[105] *Ibid.*, p. 184.

[106] CFM, *op. cit.*, tomo II, copla núm. 4837.

[107] *Celia Cruz y La Sonora Matancera*, LP-20-C-TV-044.

[108] CFM, *op. cit.*, tomo I, copla núm. 1215.

[109] Benjamín Jarmes, *El libro de oro de los niños*, vol. 5, México, Bruguera, 1980, p. 43. Las coplas de Doña Ana parecen tener su origen en un romance tradicional y el juego de Milano es una variane de éstas.

[110] *Naranja dulce...*, *op. cit.*, p. 38.

[111] *Lírica infantil...*, *op. cit.*, p. 129.

[112] CFM, *op. cit.*, tomo V, p. 148.

[113] CFM, *op. cit.*, tomo II, copla núm. 3671.

[114] *Ibid.*, copla núm. 2923.

[115] *Ibid.*, copla núm. 25596.

[116] *Ibid.*, copla núm. 4168.

[117] Grabación proporcionada por la Unidad Regional de Culturas Populares, Guerrero.

[118] CFM, *op. cit.*, tomo II, copla núm. 3343a.

[119] *Cumbias inmortales con Los Cuatro Brujos*, Discos Popular, LDP 21, 1975.

[120] *Notitas Musicales*, México, D.F., 15 de julio de 1981, p. 18.

[121] CFM, *op. cit.*, tomo V, p. 309.

EL MENÚ

EL DESAYUNO Y LA MERIENDA

Las frutas

Coplas

Chaparrita color de uva,
cuerpecito de manzana,
compañera de la luna,
lucero de la mañana.[1]

México, D.F.

Entré en la huerta y corté
una naranja madura,
y entre los gajos hallé
el ángel de la hermosura.[2]

Zapateado, San Pedro Piedra Gorda, Zacatecas
1948

A la mar fue por naranjas,
cosa que la mar no tiene;
el que vive de esperanza
la esperanza lo mantiene.[3]

La sanmarqueña, México, D.F., 1963

Una naranja madura
le dijo a una verde, verde:
"Si es cierto que tú me quieres
¿por qué no has venido a verme?[4]

Costa Chica, Oaxaca

NARANJA DULCE[5]

D.P.

Naranja dulce, limón partido,
dame un abrazo que yo te pido,
si fueran falsos mis juramentos
en otro tiempo se olvidarán.

Toca la marcha, mi pecho llora,
adiós señora, yo ya me voy
a mi casita de sololoy
a comer tacos (tunas) y no le doy.

Juego infantil

Copla
Una naranja madura
le dijo a la verde, verde:
"Ya no te doy mi piquito
porque mucho me lo muerdes".[6]

San Pedro Amusgo, Oaxaca

LA MUERTE[7]

Naranja dulce,
limón celeste,
dile a María
que no se acueste.

María, María,
ya se acostó,
vino la muerte
y se la llevó.

Naranja dulce,
limón silvestre,
dile a mi amada
que me conteste.

María, María,
no contestó,
vino la muerte
y se la llevó.

La muerte, que es una niña del centro, escoge a cualquiera y pasa a ser, a su vez, la muerte.

Juego infantil

Copla
Mi padre nació de lima
y mi madre de limón,
y yo de naranja dulce;
¡ay, Jesús, qué admiración![8]

Costa Chica, Oaxaca

ÁMAME, BIEN DE MI VIDA[9]

Nuevo León, 1932

Ámame, bien de mi vida,
no me vayas a olvidar,
que abandoné yo a mis padres
sólo por venirte a amar.

Lo que sí les aseguro
y no lo tardo en saber:
que yo soy el único hombre
que es dueño de esa mujer.

Cuando naranjas, naranjas,
cuando limones, limones;
cuando te peinas, chinita
ay, qué rechula te pones.

Ámame, bien de mi vida,
no me dejes de querer;

si me niegas tu cariño,
será puro padecer.

Naranjas y más naranjas,
maduradas por el tiempo;
nunca olvides, chaparrita,
que eres todo mi tormento.

Nunca olvides, mi prietita,
cuando estés en el potrero,
que nos hemos de casar
el día catorce de enero.

Ya con ésta me despido,
ya me voy pa' la estación;
dame un abrazo apretado,
linda de mi corazón.

Copla

Al limón quitarle el zumo,
a la naranja el retazo.
Allá va mi corazón
partido en cuatro pedazos,
pero va con condiciones:
que ha de morir en tus brazos.[10]

Costa Chica, Oaxaca

EL JARABE 1[11]

Las doncellas valen oro,
las solteras valen plata,
las viudas valen cobre,
la viejas, hoja de lata.

Chaparrita te hizo el cielo
para mi condenación,
chiquitita ya de cuerpo
y alegre de corazón.

Cuando naranjas, naranjas,
cuando limones, limón,
chinita, cuando te bañas
de rechula que te pones.

Las naranjas y las uvas
en un plato se maduran,
los ojitos que se quieren
desde lejos se saludan.

¡Ay, Muerte, no vengas ora!
porque estoy enfandangado;
de lunes a martes
me encuentras desocupado.

LA JAULA[12]

Zacatecas, 1948

No te andes haciendo jaula,
porque tienes nuevo amor;
no vivas engrandecida:
yo ya tengo otro mejor.

De cáscaras como tú
tengo una bodega llena;
si hubiera quien las comprara
a centavo la docena.

Naranjas y más naranjas
maduras con el viento;
me alegro que hayas hallado
amores a tu contento.

¡Ay, clavelito morado,
varita de San José!
Ya tengo nuevos amores,
no cáscaras como usted.

Coplas
Las naranjas y las limas
en el árbol se maduran;
los ojitos que se quieren
desde lejos se saludan.

En una mesa te puse
un verde limón con hojas;
si me acerco, te retiras,
si me retiro, te enojas.[13]

La sanmarqueña
Oaxaca, Oaxaca, 1965

Por estas calles derechas
vi correr un limón;
pa' las muchachas, un beso
y a las viejas, un guantón.[14]

Entré a la huerta y corté
un limón reverdeciendo,
entre los gajos hallé
un gachupín escribiendo.[15]

Zapateado, Baja California,
1936

LIMONCITO[16]

D.P.

Limoncito, limoncito,
limoncito, limoncito,
pendiente de una ramita,
pendiente de una ramita,
dame un abrazo apretado
y un beso de tu boquita;

dame un abrazo apretado
y un beso de tu boquita,
limoncito, limoncito.

El limón ha de ser verde
para que tiña morado,
el limón ha de ser verde
para que tiña morado,
y el amor para que dure
debe ser disimulado
y el amor para que dure
debe ser disimulado.

Al pasar por tu ventana
me tiraste un limón,
al pasar por tu ventana
me tiraste un limón,
el limón me dio en la cara
y el zumo en el corazón,
el limón me dio en la cara
y el zumo en el corazón.

Indita, por un trabajo,
me cobraste cuatro reales
indita, por un trabajo,
me cobraste cuatro reales;
indita, no seas tan cara,
yo puse los materiales;
indita, no seas tan cara,
yo puse los materiales.

Canción mexicana

Coplas
Corté un limoncito tierno,
y siempre considerando:
corazón he visto ingrato,
pero como el tuyo, ¡cuándo![17]

Tabasco

¡Mira qué limón tan fino
tengo para madurar!
Voy a tirar un suspiro,
porque no puedo llorar.[18]

Tírale la lima,
tírale el limón,
tírate las llaves
de mi corazón.[19]

JUEGO INFANTIL

A la paloma blanca
que del cielo bajó,
con sus alas doradas
y en el pico una flor;
de la flor una lima,
de la lima un limón.

Vale más mi morena
que los rayos del sol.

A los titiriteros
¿quién me paga la entrada?
Yo los amo y los quiero,
y me muero por ti.

Se juega en rueda con una niña al centro. Durante la primera estrofa giran y se detienen durante la segunda, que canta la niña del centro; al decir los últimos versos elige a una niña de la rueda que pasa a ocupar su lugar.[20]

LA LIMA[21]

1925

¡Ay, qué bien me huele a lima!
¡Qué cerca estará la mata!
A que nadie me adivina
cuál de éstas será mi chata:
ésa del peinado chulo,
de los aretes de plata.

Coplas
Me dijo un catrín del rancho
que lo amara con esmero:
al venadito con sancho,
y a la mujer con dinero.

Ni te compro limas,
ni te compro peras,
ni te comprometas
a lo que no puedas.

México, D.F.,
1965[22]

Dichoso el árbol que da
en cada rama una pera;
el desgraciado soy yo,
que no encuentro quién me quiera.[23]

De arriba del cielo cayó una pera,
de una pera, una sandía;
todos quieren a la güera,
pero la güera ya es mía.[24]

Veracruz

La mujer es una pera
allá subida en la altura:
Ya revienta de madura
y de repente se cae,
y el que menos lo espera
disfruta de su hermosura.[25]

Veracruz

La mujer es una pera
que se mantiene en su altura,
y el hombre se desespera,
y ella se cae de madura,
y se la llega a comer
otro que menos le apura.[26]

Costa Chica, Oaxaca

No son peras
ni perones;
son mis huevos
que están pelones.[27]

Sonora

Sobre la mesa te puse
una pera y un perón;
a mí me tuvo mi madre,
pero a ti, ¿quién, cabrón?[28]

Costa Chica, Oaxaca

Dichoso el árbol que da
uvas, peras y granadas,
pero más dichoso yo
que tengo a diez contratadas:
tres solteras, tres viudas
y también cuatro casadas.[29]

Veracruz

Bajo la párgola
nace la uva,
primero verde
y después madura.
Quiquiriquí,
quiquiriquí,
la más bella
va fuera de aquí.[30]

Fórmula de sorteo

Hoy una mujer me vendió
racimos de higos por uvas,
y luego me aseguró
tener las piernas velludas;
y entonces le dije yo:
"las veremos, por las dudas".[31]

El siquisirí
Tuxtepec, Oaxaca, 1963

Cómo es el durazno prisco
cuando se está madurando;
quisiera darte un pellizco
y quedarme saboreando,
ya me estoy poniendo bizco
mientras me está usted mirando.[32]

El siquisirí
Veracruz, 1964

EL DURAZNO 1[33]

1928

Me he de comer un durazno
desde la raíz hasta el hueso;
no le hace que sea trigueña:
será mi gusto y por eso.

Estribillo
¡Ay!, dile que sí,
que cuándo se baña,
que eso de querer a dos
no se me quita la maña.

¡Mira qué hermoso durazno!,
pero no lo has de comer,
porque no se hizo la miel
para la boca del asno.

Estribillo
¡Ay!, dile que sí,
dile que no tenga susto,
que eso de querer a dos
es para mí puro gusto.

"Sonecito de la tierra" integrado en varios jarabes

EL DURAZNO 2[34]

1925

Ausente me voy mañana,
en esos planes te espero;
entre los cañaverales
oirás cantar el jilguero.

Ausente de mí estarás,
pero no de mi memoria:
me cabe la vanagloria
que ausente te quiero más.

Los higos y los duraznos
en el árbol se maduran;
los ojitos que se quieren
desde lejos se saludan.

Ausente me voy mañana,
por la vía de Colima,
adiós, parientes y hermanos,
échenme la tierra encima.

Los sauces en la alameda
se mecen y se remecen;
así se mecen los celos
cuando tú ya no apareces.

Los sauces en la alameda
se mecen con el airón;

así se mece mi amor
dentro de mi corazón.

EL FRAMBOYÁN[35]

Chicontepec, Veracruz, 1964

Por las riberas del Pánuco
yo vi un árbol muy florido:
es el árbol consentido
de las que sufren de amor.

Tiene la flor colorada,
lo mismo que el corazón;
ahí vienen las enamoradas
a llorarle con pasión.

Estribillo
Ahí se ven las rancheritas
como durazno en sazón;
de cuando en cuando viuditas
más sabrosas que el melón.

También las viejecitas
que pasan de ochenta y tantos
a pedir que no las dejen
para vestir a los santos.

Ese árbol solicitado
le llaman el framboyán;

árbol del amor colorado,
mi amor te vengo a implorar.

Ahí se ven las rancheritas...

GUADALAJARA EN UN LLANO[36]

D.P.

Guadalajara en un llano,
México en una laguna.
Me he de comer esa tuna
aunque me espine la mano.

Ya se cayó el arbolito
donde dormía el pavo real,
ahora dormirá en el suelo
como cualquier animal.

L' águila siendo animal
se retrató en el dinero,
para subir al nopal
pidió permiso primero.

Dicen que soy hombre malo,
malo y mal averiguado,
porque me comí un durazno
de corazón colorado.

Guadalajara en un llano,
México en una laguna.
Me he de comer esa tuna
aunque me espine la mano.

Canción rancherav

Copla

Eres tuna del tunal,
de esas que están madurando;
no dejes que te tienten
ni que te anden manoseando:
sólo yo he de tentar,
supuesto que yo te mando.[37]

Costa Chica, Oaxaca

Coplas

La tuna le dijo al gancho:
"Déjame bien madurar;
al cabo estoy en tu rancho:
¿quién otro me ha de gozar?"[38]

La sanmarqueña
(Frag.) Oaxaca, Oaxaca, 1965

Los muchachos de la flota
son como la tuna verde;
las mujeres que los bajan
se pican, pero los muerden.[39]

Sanmarqueña, México, D.F.,
1963

Las mujeres de hoy en día
son como la tuna mansa;
apenas cumplen quince años
y ya traen tamaña panza.[40]

Sanmarqueña

Allá está la luna
comiendo su tuna
y echando las cáscaras
en la laguna[41]

Arrullo

Luna, Luna,
dame una tuna;
la que me diste
cayó en la laguna.[42]

Anteanoche fui a tu casa,
me resbalé sin querer
con cáscaras de unas tunas
que otro día me fui a comer.[43]

México, D.F.

Me dicen que soy tunero
porque uso sombrero ancho;
tunero soy, no lo niego,
pero con todas las de mi rancho;
yo a todas las tunas quiero,
pero no alcanza mi gancho.[44]

Guerrero

Al nopal lo van a ver
sólo cuando tiene tunas:
¡ingratas que son algunas![45]

MARÍA DE JESÚS[46]

Armando Kuri-Aldana

Como no...
como nopal quécha tuna
me trais en la luna,
María de Jesús.

Tú pa' mí,
pa' mirarte hecha capullo,
y yo, yo soy tuyo,
María de Jesús.

Que te bas...
que te basta con no verme

pa' ya no quererme,
María de Jesús.

Vas a ver
y a saber qué poco dura
la fruta madura,
María de Jesús.

Canción mexicana

Copla
Una mañana en las dunas
no tenía qué cobijarme;
subí al cerro y comí tunas;
ya tuve con qué taparme.[47]

SI SUPIERAS, CHAPARRITA[48]

Michoacán

Si supieras, chaparrita,
lo que yo sufro por ti,
tal vez te compadecieras
de verme tanto sufrir,
y entonces tu carita
no me diera en qué sentir.

Por la calle de los cuetes,
cuando yo te veo venir,

se me antojan tus cachetes
de sabroso colorín;
que si llego yo a morderte,
no lo sentiría por mí.

Las pitayas y las tunas
tienen rojo el corazón;
las muchachas que no quieren
son de palo guayacol;
y si tú eres de madera,
¡pobrecito de mi amor!

Pa'l orgullo que tú tienes,
tengo yo mi terquedá,
áhi si ahora no me quieres,
ya pa' luego me querrás.
Llega un día en que las mujeres
ya no pueden regatear.

LA GUACAMAYA[49]

Ándale, guacamayita,
deja de tanto volar:
se acabaron las pitayas,
ya no las podrás hallar.

En los cerros se dan tunas
y en las barrancas pitayas;

en los huecos de los palos
anidan las guacamayas.

Coatzacoalcos, Veracruz
1964

Las píldoras "Laverán"
ya no las pide la gente,
porque dice un alemán
que es mejor un aguardiente
que cuatro piezas de pan
y un chocolate caliente.

Jalapa, Veracruz
1964

Una guacamaya vieja
le dijo a una más muchacha:
"Si quieres tener dinero,
vámonos con los del hacha.

Orizaba, Veracruz
1958

Pobrecita guacamaya,
¡ay, qué lástima me da!
Se acabaron las pitayas,
¡ahora sí qué comerá!

Y en un árbol muy erguido
quise cortar una guaya;
me subí sin hacer ruido

y cogí una guacamaya
que estaba echada en su nido.

San Andrés Tuxtla, Veracruz
1963

Porque soy un labrador
siempre cultivo la uva.
Me embarqué en un vapor,
con dirección pa' Cuba
porque allí han visto a mi amor,
verde como lechuga.

Tuxtepec, Oaxaca
1963

Yo tenía una guacamaya
en una jaula de lata,
y la rompió la canalla
con el pico y con la pata,
pa' comerse una pitaya,
que reservaba mi tata.

Veracruz
1965

Son jarocho

EL PITAYERO 1[50]

Jalisco, 1931

Soy pitayero, señora,
que vengo del organal;
sigo comprando guayules,
me voy hasta el arenal.

Ándale, güerita,
vámonos al organal,
a cortar pitayas
empezando a madurar.

Solito vengo, señora,
con mi carga de pitayas;
traigo de todos colores,
cómpreme antes que me vaya.

Soy pitayero, señora,
que vengo del organal;
si no compra, no mallugue:
retírese del huacal.

Ándale, güerita,
vámonos al organal,
a cortar pitayas
empezando a madurar.

Soy pitayero, señora,
que vengo del organal;

si no compra, no mallugue:
retírese del huacal.

Soy pitayero, señora
que vengo del organal;
sigo comprando guayules,
me voy hasta el arenal.

Son jalisciense

EL PITAYERO 2[51]

Atentique, Jalisco, 1960

Soy pitayero, señora,
que vengo de Manzanillo;
vengo de cortar pitayas (güerita)
del organito amarillo.

Estribillo
Ándale, güerita,
vámonos al organal,
a cortar pirayas
que comienzan a madurar.

Soy pitayero, señora,
que ahora acabo de llegar;
vengo de cortar pitayas (mi vida):
comienzan a madurar.

Ándale, güerita...

Soy pitayero, señores,
que vengo desde Sayula;
voy a vender mis pitayas (güerita)
a ese pueblo de Cocula.

Ándale, güerita...

Pues si al mundo Adán viniera
y viera a una mexicana
bailar jarabe ligera,
temo que a comer volviera
la consabida manzana.[52]

Son jalisciense

LA MANZANA[53]

Puebla, Puebla, 1880

Manzana, quién te comiera
acabada de cortar,
con tus colores por fuera
y un aroma sin igual.

—Dámela a probar siquiera,
no se me vaya a antojar
y del antojo me muera
en medio del manzanar.

JUEGO INFANTIL

A Madrú, señores,
vengo de La Habana
de cortar manzanas
para Doña Juana.

La mano derecha
y después la izquierda
y después de lado
y después de costado;
una media vuelta
con su reverencia.[54]

Se trata de un juego de imitación para niños muy pequeños, en la primera estrofa se baten las palmas a ritmo y en la segunda se reproducen los movimientos de saludo, media vuelta y reverencia.

Copla
Chaparra, cuerpo de rosa,
cachetitos de manzana,
ya vistes lo que ha pasado:
todo ha sido por quererte;
a mí me has desacreditado,
y a ti te desean la muerte.[55]

Acatlán, Puebla,
1967

SEÑORA SANTA ANA[56]

—Señora Santa Ana
¿por qué llora el niño?
—Por una manzana
que se le ha perdido.

—Si llora por una,
yo le daré dos,
una para el niño
y otra para vos.

Señora Santa Ana,
que dicen de vos
que eres soberana,
abuela de Dios.

Señora Santa Ana,
recuérdalo vos,
por una manzana
me ofreciste dos.
Señora Santa Ana,
sosténmelo vos,
por esa manzana
devuélveme dos.

Canción de cuna

PRESUMIDA[57]

D.P.

Pajarillo manzanero,
llévame a cortar manzanas;
pajarillo manzanero,
llévame a cortar manzanas.

Cómo quieres que las corte
si no me bajas la rama;
cómo quieres que las corte
si no me bajas la rama.

Estribillo
Presumida, presumida,
deja ya de estar dormida;
presumida, presumida,
deja ya de estar dormida.

En el campo la sandía
con el agua reverdece;
en el campo la sandía
con el agua reverdece.

Si un amor se va en un día
qué poco valor es ése:
si un amor se va en un día
y de amor no se padece.

Presumida, presumida...

Coplas

¡Qué olor me das a sandía,
cuando se está madurando!
Me agrada tu simpatía
y el modo de estar bailando,
te pareces a la luz del día
cuando ya viene aclarando.

¡Qué olor me da a sandía!
¿Quién se la estará comiendo!
Me agrada tu simpatía
y el modo de estarte riendo:
te pareces a la luz del día
cuando viene amaneciendo.

La morena[58]
Tuxtepec, Oaxaca, 1963

Al pasar por una huerta
me corté una hermosa sandía,
y en el corazón le hallé
un letrero que decía:
"Trigueñita, si tú me quieres
yo estoy como el primer día".[59]

Costa Chica, Oaxaca

Copla

Hermosísima sandía,
mi corazón te idolatra;

yo te he de cortar la guía
sin que lo sienta la mata.[60]

La sanmarqueña
México, D.F., 1961

LA SANDÍA 1[61]

Michoacán, 1939

En el nombre sea de Dios
y de la Virgen María,
voy a cantar estos versos,
los versos de "La sandía".

La sandía que es colorada
tiene lo verde por fuera.
Si quieres ser estimada,
no te roces con cualquiera,
que la fruta magullada
se pudre, y no hay quien la quiera.

Ya te dije que las uvas
no siembres en el camino,
porque pasa el caminante,
se lleva el mejor racimo.

De tierras lejanas vengo,
cansado de caminar,

a conocer al que te ama,
para no volverte a hablar.

¡Qué bonito frijolito!,
¡qué bonito frijolar!
¡Qué bonito par de ojitos!,
me los quisiera llevar.

—Ya los gallos ya cantaron,
chiquitita, ya me voy.
—No se va, mi trigueñito
hasta que no raye el sol.

Siempre me voy y te dejo
para no seguirte un mal,
nos estaremos mirando
cada vez que haya lugar.

Ya te he dicho que no siembres
las uvas en la barranca,
porque pasa el pasajero
y hasta la matita arranca.

Me subí al palo sereno
a sacudir el rocío;
no cuido de amor ajeno,
ni cedo lo que ya es mío.

Me subí al cerro de Diana
a divisar para el plan;
me encontré una chaparrita
naguas negras con holán.

Subí a la torre de Diana
por ver si ya amanecía;
como era tan de mañana,
imposible se me hacía
levantarme de tu cama
e irme a acostar a la mía.

A orillas de una barranca
sembré un granito de arroz;
yo te enseñaré, chirriona,
cómo se mancuernan dos.

Meciéndome en un columpio
se me reventó la reata.
El amor que se hace nudo
con trabajo se desata:
sólo que haya otro tarugo
que le prometa más plata.

En estos planes de Uruapan
voy a sembrar mi labor,
ya tengo mi par de bueyes
y un chivo sembrador.

Al lado de la laguna
vide un gato sin orejas;
lo que no hacen las muchachas
hacen las malditas viejas.

¡Qué bonitos ojos chinos!,
por ningunos los fereo.

A que usted no me adivina
cuál de ésas es mi recreo:
la que huele a piña fresca,
o la que huele a poleo.
—Ésa de la frente china
y los aretes de plata.

¡Qué bonito huele a lima!,
¡qué fresca estará la mata!
A que usted no me adivina,
de una mujer y una gata,
si la gata es más indina
o la mujer más ingrata.

Un pájaro colorado
le dijo a uno de color:
"Mi alma, si soy de tu agrado,
respóndeme con valor;
no me hagas andar sufriendo
y penando sólo en tu amor".

Chaparrita consentida,
sólo por ti doy mis pasos;
si estás mal correspondida,
hazme el corazón pedazos:
¿para qué quiero la vida
si no me arrullo en tus brazos?

Un gorrión entre claveles
me dijo en cierta ocasión:
"No te creas de las mujeres,
porque las mujeres son

redomas de todas mieles
y amantes de la traición".

Coplas
Tengo un limón claveteado
al lado de una sandía;
dame un abrazo apretado
y un besito, vida mía.[62]

Hermosísima sandía,
para mi sed fresca y grata,
yo te he de cortar la guía
sin que lo sienta la mata:
a ver si la dicha es mía,
o la suerte me es ingrata.[63]

LA SANDÍA 2 (LA ENSALADA)[64]

1931

—Toda el agua, regadores,
que se seca la sandía,
—Échele agua usté a la suya,
que yo regaré la mía.

En la hacienda del Limón
se ha ofrecido una aventada;
con toda la vaquerada
se fueron para Aragón.

Coplas
Naranjita dulce,
gajo de sandía,
traigan para el niño
toda su alegría.[65]

Arrullo

Este niño lindo
que nació de día
quiere que lo lleven
a comer sandía.[66]

Arrullo

Arriba del cielo
está una sandía,
que está rebanándola
Santa Lucía.[67]

Canción de cuna
(fragmento)
Valparaíso, Zacatecas, 1950

EL JARABE 2[68]

1953

Donde están las aguilillas
no rifan los gavilanes,

ni las naguas amarillas,
aunque les pongan holanes.

Eso dicen los ancianos
que han vivido más que yo:
que las tunas se maduran,
pero los nopales, no.

Señora, de su sandía
le daré una rebanada,
que agua se me hace la boca
al verla tan colorada.

¿Ay, sandía, quién te calara,
aunque me dieran los fríos?
Soy puro Guadalajara,
donde son los tapatíos.

Ya sabes que no me rajo:
ni gozar ni padecer;
quiero mujer y trabajo
y a quien pueda mantener.

Debajo de un limón verde
corre el agua un poco fría;
le he dado mi corazón
a quien no lo merecía.

Al fomar Dios la mujer,
luego luego engañó a Adán,
y si eso hizo la primera,
las demás ¡qué no harán!

Copla
Todas las mujeres tienen
en el pecho dos melones,
pero yo siempre prefiero
la cueva de los ladrones.[69]

La sanmarqueña
México, D.F., 1963

JUGANDO CONTRAS[70]

Efraín Calderón, 1966

Me dice mi corazón
que tú lo estás engañando:
mientras yo esté de plantón,
tú con otro vacilando;
si me estás jugando contras,
te puedes ir confesando.

La mujer que quiere a dos
es porque gusto le sobra:
uno lo tiene en las sombras,
y otro a las claras lo mira,
y en su casa tristemente
por el ausente suspira.

No me andes jugando contras
porque te puede pesar;
recuerda que en esta vida
todo se ha de contar.

No le busques al melón
la semilla de sandía;
ahora te haces a mi ley,
o te acabo, vida mía;
no me importa que me muera
llamándote noche y día.

Porque en las cosas del amor
yo nunca, nunca he perdido;
yo soy como el limosnero,
que lo que me gusta, pido;
y si el cariño me diste,
a que lo cumplas te obligo.

Canción ranchera

SERÁ MELÓN, SERÁ SANDÍA[71]

Rossana Rosas, 1984

Mi vecino del nueve
no saben cómo me gusta
y anda echándome sus redes
pero yo tengo mis dudas.

Siempre está muy arreglado,
camina muy suavemente,
es bastante refinado
y es muy modosito siempre.

Estribillo
Será melón, será sandía,
será jarrón, será jarrita,
será verdad, será mentira,
será la noche, será el día,
será la noche, será el día,
será jarrón, será jarrita,
será verdad, será mentira,
será melón, será sandía.

Mi vecino del nueve
no saben cómo me gusta
y conmigo algo quiere
y eso a mí no me disgusta.

Siempre está muy arreglado,
además, es muy carita,
pero alguien me ha contado
que a lo mejor es pandita.

Será melón, será sandía...

Intérprete: El Poder Latino

Coplas
¡Ah, malhaya quien pudiera,
como calar un melón!
Así fueran las mujeres,
blanditas de corazón.[72]

Costa Chica, Oaxaca

Que éste era un viejo y una vieja,
se fueron a los melones,
se hallaron las matas secas
y se dieron de coscorrones.[73]

Nochistlán, Zacatecas,
1959

Cuando vayas por la calle
y te encuentres un melón,
acuérdate de tu amiga,
que le gusta el vacilón.[74]

Autógrafo, Sonora,
1966

Aquí me huele a mango,
pero al maduro de hoy.
Ve que si andan pelando,
porque yo echo un catamoy;
a quien me lo anda cazando
me sirve de entretención.[75]

El siquisirí
Alvarado y Tlacotalpan, Veracruz

MANGOS[76]

S. Wayne-Libbey

Mangos, pa...payas, me...lones y
[ayas] mi bien te daré si me das el sí.

Toda la fruta del mundo
no alcanza si es para
igualar este dulce amor.

Y si me quieres tú a mí
como te quiero yo a ti
por qué no habríamos de tener
todos los mangos y papayas
y cajetas de Celaya.

Intérprete: Enrique Guzmán

ESTÁS COMO MANGO[77]

Ramos-Hausman, 1976

Estribillo
Como mango,
como mango,
como mango,
como mango.

Parado en la esquina
con la boca abierta *(bis)*,
porque va pasando un pollo
que está como mango,
como mango...

—¡Ay!, ese pollo está...
como mango.
—Yo tengo un súper pollo que está
como mango.
—Mira qué pollito más rico
como mango.
—Pero mira cosa buena cómo está
como mango.
—¡Ay!, qué pollito más santo!
como mango.
—Mira qué pollo más bueno...
como mango.

Intérprete: La Sonora Matancera

Copla
Soy como el agua del mar,
que no consiente basura;
tengo un amorcito nuevo
que huele a piña madura.[78]

La sanmarqueña

PIÑA MADURA[79]

1952

Olor a piña madura
me da cuando te deviso;
no más que se me afigura
que ya tienes compromiso,
y por esa sola duda
no me entierro a lo macizo.

Estribillo
Que te quise fue verdad,
que te adoré fue muy cierto,
que te tuve voluntad,
pero aquél era otro tiempo.

Nadie diga que es querido
ni aunque lo estén adorando;
que un cordón de oro torcido
sólo va desenredando;
que hay muchos en el estribo
se quedan a pie y andando.

Que te quise fue verdad...

¡Qué bonito es lo bonito!,
¿y a quién no le ha de gustar?
Yo le pedí a un muchachito
remedio para olvidar,
y me dijo el pobrecito,
ya casi para llorar:

"Todo cabe en un jarrito,
sabiéndolo acomodar".

Que te quise fue verdad...

Copla
Intenté hacerte un jarabe
de limón y piña madura,
porque deseo que te enjuagues
la boca con agua pura,
y toda la mar te tragues
quiero que sea con dulzura.[80]

Zapateado, Tuxtepec, Oaxaca,
1963

UY, TARA LA LA[81]

Michoacán

¡Uy! tara la la.

De miedo a ese coyote
no baja mi chivo al agua:
ayer tarde que bajaba,
pobre chivo, ya le andaba.

Estribillo
Tírame una piña,
tírame un piñón,
tírame las llaves, chiquita,
de tu corazón.

Si quieres, vamos al mar,
a ver al navío venir;
¡qué bonitos ojos tienes!,
te los quisiera pedir.

¡Uy! tara la la.
Ea, ea, ea, ea, ¡ay! ¡ay!
Porque me ves chiquito
crees que no sé de amores,
soy como el amezquitillo:
creciendo y echando flores.

Anda ve y dile a tu mamá
que por ti rondo en el barrio,
que si ella piensa en el coro,
ya bailo en el campanario.

Tú me irás pidiendo,
y yo te iré dando
besitos y abrazos, mi vida
que se andan usando.

Tírame una piña...

Son michoacano

Copla
Eres muy linda y bonita
como la almendra del coco;
el que bese tu boquita
se muere o se vuelve loco.[82]

San Salvador, Huixcolotla, Puebla,
1968

EL PALMERO[83]

1952

Palmero, sube a la palma,
sube a la palma, palmero,
y de los cocos más grandes
hazle su carga al arriero.

Estribillo
Como que te vas,
como que te vienes,
pero, vida mía,
¡cómo me entretienes!

Como que te vienes,
como que te vas;
pero, vida mía,
¡qué borracho estás!

Para sacarle agua al coco
se le hace un agujerito;
el que tiene chiche, mama,
el que no, se cría sanchito.

Como que te vas...

Dicen que tienes a otro:
lo quisiera conocer;
aquí le traigo su alfalfa
para darle de comer.

Como que te vas...

Yo soy de Costa Chica,
no me importan los valientes;
me río de las calaveras,
si están pelando los dientes.

Como que te vas...

Soy coco de los malcriados
y terror de las mujeres;
me voy pa' tierras lejanas
a buscar otros quereres.

Son michoacano/colimense/jalisciense

Coplas
Arriba del cielo
está una granada,
que está desgranándola
Santa Librada.[84]

Canción de cuna, frag.
Valparaíso, Zacatecas, 1950

Ya el querreque voló
del higo pa' la granada;
la granada la picó,
al higo no le hizo nada,
porque no pudo llegar,
no más le dio la arañada.[85]

El Querreque, La Misión, Hidalgo, 1967

JUEGO INFANTIL

El florón está en las manos,
en las manos del señor,
el que no me lo adivine
se le parte el corazón.

Ábrete, granada,
si eres colorada;
ábrete, membrillo,
si eres amarillo;
ábrete, limón,
si tienes corazón.

—Yo lo tengo,
yo lo tengo.

Se ponen los niños agachados formando una rueda. Un niño está en medio, con los ojos cerrados, y otro da vueltas al círculo y da una piedra a uno de los niños. El del centro, que es el Florón, debe adivinar al acabar la canción, a quién le dieron la piedra. Si adivina, gana y otro ocupa su lugar.[86]

LA GUANÁBANA[87]

Veracruz

La guanábana 'e chupar
es una fruta muy suave,
se deshace al paladar
y sólo la lengua sabe

Estribillo
Guanábana dulce y azucarada
que chupa, rechupa y chupa
rechupa y chupa y no saco nada

Eres como blanco nardo
y encarnada maravilla
sólo una cosa te encargo,
que no seas engrandecida
que las frutas en el árbol
no duran toda la vida.

Guanábana dulce y azucarada ...

Son jarocho

Copla
A la guayaba madura
se le quita la pepita;
el hombre cuando es celoso
no busca mujer bonita.[88]

La sanmarqueña (Frag.)
Oaxaca, Oaxaca, 1965

LA GUAYABITA[89]

T. Chacón-A. Hassan

Estribillo
Ven a mis brazos, mujer,
para quererte a mi manera.

Guayabita sabanera,
de los llanos soberana,
rica y dulce compañera
de mi novia interiorana.

Ven a mis brazos...

Tu agridulce tan sabroso,
como labios de doncella,
me recuerdan muy gozoso
lo que yo gocé con ella.

Ven a mis brazos...

Guayabita bien madura
que alegraste la sabana
tienes toda la dulzura
de mi novia interiorana.

Ven a mis brazos...

Guayabita, guayabita,
guayabita sabanera,
qué muchacha tan bonita,
qué sabrosa zalamera.

LA GUAYABA[90]

René Andrade, 1970

Cerca de mi casa hay un árbol de guayaba,
siendo que mi novia diariamente reclamaba *(bis);*
mas llegó el día en que cambió la situación,
lo que me pedía, ahora se lo pido yo.

Estribillo
Dame la guayaba, Patricia, dame la guayaba,
dame la guayaba, Patricia, dame la guayaba.

Yo se la pedía y ella me la negaba
aunque me entendía, se hacía la disimulada *(bis),*

pero llegó el día en que no pude aguantar
y se la pedí delante de su mamá.

Dame la guayaba, Patricia, dame la guayaba...

Mueve la cadera, Patricia, mueve la cadera,
mueve la cadera, Patricia, mueve la cadera,
mueve la patita, Patricia, mueve la patita,
mueve la patita, Patricia, mueve la patita,
mueve bien los hombros, Patricia, mueve bien los hombros,
mueve bien los hombros, Patricia, mueve bien los hombros,
mueve bien las pompis, Patricia, mueve bien las pompis,
mueve bien las pompis, Patricia, mueve bien las pompis,
dame la guayaba, Patricia, dame la guayaba,
dame la guayaba, Patricia, dame la guayaba ...

Intérprete: Santiago Show 1990
Charanga tropical

Copla

Al pasar por tu ventana
me aventaste una caña,
ahora quiero que me avientes
a tu hermana la mediana.[91]

La sanmarqueña
México, D.F., 1963

CON SABOR A CAÑA[92]

Angélica Delgadillo Martínez, 1990

Con sabor a caña me dejó mi negra,
aquella noche bajo aquel palmar *(bis).*

Estribillo
Se fue de mí, se fue de mí
y no sé si un día volverá (bis).

Paso la noche pensando en ella,
mirando el cielo y el inmenso mar.
Paso la noche deseando que vuelva
y en mis brazos poderla estrechar.

Se fue de mí, se fue de mí...

Intérprete: Caña Brava

Coplas
Cuando quieras comer frutas,
prefiere sólo cajeras,
de aguacates no te embutas,
porque te salen ojeras.[93]

Valladolid, Yucatán,
1967

Tengo un tamarindo morado,
hecho por cuatro pedazos.
Áhi te mando, mamacita,
un besito y una docena de abrazos:
recíbelo con cariño
y más que lo hagas mil pedazos.[94]

Amatitlán, Puebla,
1967

Áhi viene la capireña,
capires trae a vender:
capires a diez por medio,
capires al escoger.[95]

LAS CEREZAS[96]

Favilla-Testa-Mogol, 1981

Que las cerezas están maduras,
esto lo sé.
Qué tú eres joven y muy bonita,
también lo sé.

Tal vez el sol sobre tus labios
se posará
y tú boquita día tras día
madurará.

Para abril o para mayo
veré
que me ofrezcas la primera
prueba de amor.

Para abril o para mayo
tendrá
un poquito de coraje
y me besará.

Intérpretes: Los Hermanos Carrión

FRESAS Y VINO[97]

Gilberto Mejías P., 1975

Fresas y vino hay esta noche
y un candelabro para los dos.
Fresas y vino y un candelabro
para los dos *(bis)*.

Ya nuestro niño se durmió,
hoy supo toda la verdad.
Hoy le conté que no vendrás,
que estás lejos junto a Dios
y que no lo olvidarás.

Me pregunto, por qué serví
fresas y vino para ti.

Sólo le dije que una vez
cuando el mundo nos unió
fue el regalo que te di.

Fresas y vino hay esta noche...

Intérpretes: Roberto Jordán y su grupo Amigo

Coplas

En la punta de aquella higuera
me subí a bajar un higo;
no bajé ni uno siquiera,
y por eso te lo digo:
yo no soy mono de cera,
para que jueguen conmigo.[98]

Costa Chica, Oaxaca

Me subí a la higuera alta
a cortar higo por higo;
como la rama está verde,
se fue la rama conmigo.[99]

Veracruz

CUANDO BAJA LA MAREA[100]

Flórez-Di Felisatti, 1988

Aire...
En esta linda tarde de verano
tu recuerdo es una foto gris
que las horas van difuminando;
que difícil dibujar tus rasgos
medio día después de partir.

Aire...
Si tus ojos eran higos negros,
si los dientes gajos de limón,
no recuerdo el arco de tus cejas;
ni siquiera puedo hablar apenas
de otra cosa que no sea tu olor.

La mente cuando baja la marea,
por puro instinto de conservación,
intenta cauterizar cada huella
que deja atrás el paso del amor.

La mente cuando baja la marea,
mostrando la estructura del dolor,
activa un mecanismo de defensa
para que no se ahogue el corazón.

Bello...
Con tu perfecto perfil tan hebreo,
desaliñado, lleno de proyectos,
hombros cargados y zapatos viejos.

La mente cuando baja la marea...

Aire...
Me falta el aire
en esta linda tarde de verano.
No logro describirte:
tu recuerdo es una foto gris
apenas perfilada
que las olas van difuminando.

Aire...
Intento dibujar
tus rasgos pero casi ya no puedo,
por mucho que lo intento
qué difícil es recordar.

Intérprete: Yuri

Copla
Los pastores y zagalas
caminan hacia el portal,
llevando llenos de fruta
el cesto y el delantal.[101]

México, D.F.,
1964

LA VÍBORA DE LA MAR

D.P.

A la víbora, víbora de la mar, de la mar,
por aquí pueden pasar,
los de adelante corren mucho
y los de atrás se quedarán,
tras, tras, tras.

Una mexicana
que fruta vendía
ciruela, chabacano,
melón o sandía.

Verbena, verbena,
jardín de matatena,
verbena, verbena,
jardín de matatena.

Campanita de oro,
déjame pasar
con todos mis hijos
menos el de atrás
tras, tras, tras.

Será melón,
será sandía,
será la vieja del otro
día, día, día.

Juego infantil

ERES COMO LA NARANJA[102]

Coahuila

Eres como la naranja,
con los colores por fuera;
si quieres tener amores:
pídele a Dios que me muera.

En esa cárcel de Puebla,
preso se quedó un amigo,
por un dichito que andaba:
aquí traigo y no les pido.

Me he de comer un durazno
desde la raíz hasta el hueso,
no le hace que sea trigueña,
será mi gusto y por eso.

Me he de comer una lima
de los limares de Puebla,
yo he de seguir en mi idea,
aunque a mi tierra no vuelva.

Canción cardenche.

Copla
Del plátano, el corazón,
del durazno, la almendrita,
de la manzana, el sabor,

de mi negra, su boquita,
que está buena para un dolor:
con besarla se me quita.[103]

Costa Chica, Oaxaca

COPLAS DE LA COAHUAYANA[104]

Si fueres a Coahuayana
me traerás una sandía
de corazón colorado,
regalo del alma mía.

Si fueres a Coahuayana,
tráeme un melón y una lima;
la lima que no esté verde
y el melón con sarna encima.

Si fueres a Coahuayana
me traerás una trigueña
que tenga chico alfajor,
pero con tamaña greña.

Asómate a la vergüenza,
cara de poca ventana,
y dame un vaso de sed,
que me estoy muriendo de agua.

HUESITO DE CHABACANO[105]

Salvador Vázquez, 1977

Yo quiero jugar huesito,
huesito de chabacano.
Yo quiero jugar huesito,
huesito de chabacano.

No le hace que esté prietito
o que esté muy pintadito,
yo quiero jugar huesito,
huesito de chabacano.

Huesito de chabacano,
huesito de chabacano,
huesito de chabacano,
huesito de chabacano.

Mi nena me da besitos
con sabor de chabacano *(bis)*.

Y quiere jugar conmigo
para ver si yo le gano
pero no quiere un ratito
quiere toditito el año.

Huesito, huesito de chabacano... (bis).

Vamos a jugar hoyito,
huesito de chabacano *(bis)*.

A jugar pares o nones,
matatena, yo soy mano.
Jugaremos un besito
con sabor de chabacano.

Intérprerte: Chavita

Copla

Cáscaras de naranja,
maduras en la arena;
de cáscaras como usted
tengo una bodega llena.[106]

San Pedro Piedra Gorda, Zacatecas

CASCARITA DE BANANA[107]

Manuel Eduardo

Cascarita de banana,
cascarita de banana,
no quise caer contigo
y vine a dar con tu hermana.

Cascarita de banana,
cáscara de coliflor,
me salvé de la viruela
pero nunca del amor.

Cascarita de banana,
cascarita de melón,
dime cómo le hago, Juana,
pa' entrar en tu corazón.

Cascarita de banana,
cascarita de toronja,
ya no te me escondas, Juana
o te quedarás pa' monja.

Cascarita de banana,
cascarita de sandía,
si no me quieres ahora
me vas a querer un día.

Intérprete: Chico Ché y La Crisis
Cumbia

YO NO VENGO A VER SI PUEDO[108]

Jalisco

Lo que digo de hoy en día,
lo que digo lo sostengo:
yo no vengo a ver si puedo
sino porque puedo vengo.

Los higos y las naranjas
en el árbol se maduran;
los ojitos que se quieren
desde lejos se saludan.

Y a mí me saludaron
aquellos que estoy mirando,
sin poderles contestar:
su mamá me está mirando.

A las once de la noche
allá te espero en el kiosco,
pa' que sepas que te quero
y el miedo no lo conozco.

Coplas
No te enamores nunca
de una casada,
que es fruta vana,
fruta vedada.[109]

Yo enamoré a una morena
cuando iba pa' su destino,
la tuve que aborrecer
y pronto le di el camino,
porque me quería tener
como plátano en racimo.[110]

El querreque

Castaña asada,
piña, limón,
echen a palos
a los del sillón.[111]

México, D.F.,
1964

Los huevos

Coplas

Éste se compró un huevo,
éste lo puso a asar,
éste le echó la sal,
éste se lo comió
y éste no comió nada.[112]

Lero, lero, candelero,
aquí te espero,
comiendo huevo,
con la cuchara
del cocinero.[113]

Burla

LA GALLINA PONEDORA[114]

Chucho Mongue y Ernesto Cortázar

Tengo una gallina muy cacareadora
que pone un huevito cada media hora,
pone uno de oro, pone otro de cobre,
¿cómo hará la pobre?, eso no lo sé,
eso no lo sé, eso no lo sé.

Esa gallinita es muy ponedora
y además de eso es muy previsora,
pone huevos fritos y otros en tortilla
y si se le orilla, hasta con jamón,
hasta con jamón, eso no lo sé.

Esa gallinita vale más que el oro,
por eso la cuido como un gran tesoro,
si así como ella fueran las mujeres,
¿cómo harían las pobres?, eso no lo sé
eso no lo sé, eso no lo sé.

Guaracha

Copla
Por el camino derecho
viene un gavilán volando:
"Señora, no compre huevos,
que aquí los traigo colgando."[115]

Sonora

JUEGO INFANTIL

La gallina popujada
puso un huevo en la cebada,
puso uno, puso dos,
puso tres, puso cuatro,

puso cinco, puso seis,
puso siete, puso ocho.

Guárdate bizcocho
para mañana a las ocho.

Los niños extienden las manos sobre una mesa; uno de ellos les va pellizcando los dedos. Cuando a un dedo le toca "puso ocho" el niño lo dobla. Cuando todos los dedos se han doblado, se esconde la mano. Gana el niño que esconda primero las dos manos.[116]

Los tamales de chivo

EL COLÁS 2[117]
(coplas sobre los tamales)

Comadre Marcelina,
mujer de don Manuel,
quería que yo comiera
los tamales de jurel.[118]

Amada Marcelina,
mujer de don Rufino,
la que hace los tamales
de carne de cochino.

Amada Margarita,
mujer de Nicolás,
que quieres que me coma
los tamales de alcatraz.

Amada Marcelina,
mujer de don Conejo,
no quiere que yo coma
tamales de cangrejo.

Amada Marcelina,
¿dónde estás que ya no sales?

Estoy en la cocina
guisando los tamales.[119]

Versión Grupo Jaranero Tacotenco
Minatitlán, Veracruz

Amada Marcelina,
mujer, ¿qué te has creído?
que quieres que me coma
el tamal de tu marido.

Versión Grupo Mono Blanco
Tres Zapotes, Veracruz

TAMALERA[120]

Esa tarde Doña Macabra
sin imaginar, salió como siempre
a vender el tamal.

Los de dulce, los de nata
los de rajas también,
pero nadie sabía
que no estaban tan bien.

Estribillo
La tamalera,
la tamalera,
la tamalera.

Pero nadie sabía que
no estaban tan bien.
Eran de carne humana:
ella vendía a su marido
hecho pedazos,
por portarse mal
y no darle para el gasto.

La tamalera...

Yo comía, yo, la mano
de un pobre señor
y nos fuimos asustados
a la Delegación.

La tamalera...

Intérprete: Víctimas del Doctor Cerebro

QUIERO UN TAMAL COMO EL SUYO[121]

Coplas del "Vale" Bejarano, Veracruz

Quiero que me haga un tamal
y que le sirva de orgullo,
con sus granitos de sal
y sus hojitas de acuyo,
no le hace que cueste un "real",
nomás que esté como el suyo.

Copla
Quiero mandar un tamal
y debo de ver a quién,
porque me he puesto a pensar
que, aunque lo mande por bien,
no está bien, porque está mal.[122]

Tabasco,
1916

EL ZACAHUIL[123]

Ramón Chávez Rodríguez, Tamaulipas, 1996

Cuando anduve en la Huasteca
me invitaron un tamal,
un tamal que estaba grande,
un tamal descomunal.

Wilfrida la cocinera
fue la que lo preparó
y como buena anfitriona
su tamal me convidó.

Zacahuil, Zacahuil,
saca Wilfrida el tamal,
que por grande que lo tengas
yo me lo voy a acabar.

Cuando sacó su tamal,
humeaba de calientito,
carnita y puro sabor,
todo para mi solito.

Para quitarle las hojas
tuve que ayudarle yo,
cosa más emocionante
que el apetito me abrió.

El atole no faltó,
con gusto lo disfruté
y ya para retirarme,
otro platito me eché.

EL TAMALITO[124]

Andrés Soto, 1994

Si u'té mirara un ratito
A través de la ventana
U`té vería un maicito
Cantándole a la mañana, ¡ay, sí!
Tamalito cantelo
Si u'té asomara la juente
Y me hablara de cara a cara
Ay, ya tendría un tamalito
Para invitarlo con ganas, ¡ay, sí!
Que me hablo juente
Que me hable a la cara

Negra mula, negra, negra co
Negra color de tu maire,
Negra mula, negra, no, no, no. No.
No me haga a mí desaire
Que vendo bondades
A las cuatro, a las cinco
A las seis de la mañana, ¡ay, sí!
Tamalito cantelo
Si u'te vería maicito
A través de la montaña
Si u'te vería un maicito
Cantándole a la mañana ay, ay, ay
Tamales calientes
casera...

Intérprete: Tania Libertad
Son

Coplas
Dormir, dormir,
que cantan los gallos
de San Agustín,
que la vieja cucureca
pasó por aquí
vendiendo tamales
de San Marroquí.[125]

Arrullo

Pelón, pelonete,
cabeza de cuete,
vendiendo tamales
a cinco y a siete.[126]

Juego para bebés

Si por coincidencia
ganas cuatro reales,
dos son para vino,
dos para tamales;
y la tamalera
que hace los tamales
se sacó la rifa
de los cuatro reales.

El jarabe loco, Veracruz, Frag.[127]

Cuando vayas dándole a la bicicleta
dale duro a los pedales,
acuérdate de la Bertha,
que te hizo de chivo los tamales.[128]

Sonora,
1966

El pan

Coplas

Cuando estés en tu cocina,
haciendo tus ricos panes,
acuérdate de tu amiga,
que le gustan los volcanes.[129]

Autógrafo, México, D.F.,
1965

Pin uno, pin dos,
pin tres, pin cuatro,
pin cinco, pin seis,
pin siete, pin ocho;
dan las ocho
con un plato
retemocho.
Bolillo, telera,
pambazo y afuera.[130]

Turno

LA PANADERA[131]

¡Arriba la panadera,
arriba y a trabajar!

Como la harina sea buena,
buenos molletes saldrán.

LOS CONEJOS PANADEROS[132]

Francisco Gabilondo Soler

Los conejos mañaneros
se levantan los primeros
y moviendo las orejas
se van.

Van al horno pues les gusta
trabajar de panaderos
amasando con sus patas
el pan.

Estribillo
Vamos a ver si nos dan
para pan, para pan, para pan.
Saborearlo es un festín
pipirín, pipirín, pipirín.

Los conejos panaderos
hacen roscas y rosquitas
porque usan sus colitas
también.

Muy temprano, aún oscuro
la taona qué bien huele

esparciendo el aroma
del pan.

Los conejos con sus manos,
con sus patas, con sus rabos,
afanosos entre harina
están.

Vamos a ver si nos dan ...

Si te gusta el pan dorado,
calentito y delicado,
gracias debes dar ya sabes
a quién.

Fox Trot

LOS PANADEROS 1[133]

San Mateo Etlatongo, Oaxaca

Alevántate compañero,
y alevántate sin pensar,
que son las once y media
y ese pan se va a entregar;
cuatro reales de cocoles
y una semita de a real.

¡Qué bonito compañero!,
y ha salido ya a bailar;

se parece a un panadero
y acabado de llegar;
cuatro reales de cocoles
y una semita de a real.

LOS PANADEROS 2[134]

La mujer del panadero
ya anda pidiendo el divorcio;
se busca uno jovencito,
para meterlo de socio,
porque el marido es viejito
y no le atiende el negocio.

Copla
¡Ay, madre, qué pan tan duro,
y la manteca tan clara!
Si yo fuera panadero,
a cogidas te lo ablandara.[135]

Costa Chica, Oaxaca

LOS PANADEROS 3[136]

1931

En la puerta de un zaguán
lloraban los panaderos,
por una pieza de pan
que se llevaban los perros;
yo se las voy a quitar,
aunque me embarre los dedos.

Al pasar por Tizapán
me dijo una santaneca:
"No me moje todo el pan,
porque ¿a qué horas se me seca?,
y en mi casa ¿qué dirán?"

La vecina de allí enfrente
tiene una panadería
ya a los casados les vende
y a los solteros les fía.

En una panadería
me dijo una muy ingrata:
"Si me agarra la semita,
ora se la doy barata,
pero con la condición
de que no me alce la pata".

En ese Guadalajara,
me dijo una tapatía:
"No me meta mano al seno,

porque la tiene muy fría;
métala más abajito,
allí está la panadería".

Llegué a una panadería
y oí que estaban hablando,
y eran los hijos de Adán,
que se estaban atrancando,
porque los querían robar.

¡Señor alcalde mayor,
yo soy una pobre viuda,
que por no ofender a Dios,
busco quien me lo sacuda!

Llegué a la panadería
y hallé a la maestra durmiendo,
y en la boquita tenía
un bizcochito comiendo:
ya mero se lo pedía
para estarme divirtiendo.

Y haste pa' llá,
y hazte pa' cá,
¡ay! qué caramba,
qué bueno está.

PANADERÍA LA FAMA[137]

(El Mejor Pan de la Región)

Lic. Leopoldo Garnica Salinas
Coscomatepec, Veracruz, 1995

Bienvenidos, "La Fama" los recibe,
con un afecto leal y sincero;
ya que en esta panadería,
su distinguida clientela es lo primero.

A mi exclusiva clientela,
se le trata y recibe con amor,
porque en toda relación humana,
lo anterior es lo mejor.

Los atiende Lucha en persona,
con sus variadas creaciones,
para que llegue a su casa y coma,
carteras, alas, gallinas y coscorrones.

Como en botica aquí hacemos,
de huevo, de dulce y de sal;
esto es *huapinoles, doncellas* y *cuernos,*
para comelones, sanos y enfermos.

El fundador fue Don Gilberto,
hombre muy correcto y fino,
por eso siempre fue atento,
con todo mundo y hasta el vecino.

Es usted señorita charnberina,
tan amable y cariñosa;
póngase en la canasta una *gallina,*
como la de la vitrina rosa.

Los *cuernos* que te puse *Magdalena,*
en la charola blanca van mejor;
con *rosquitas* y *pasteles* no va llena,
pero tienen muy buen sabor.

Los *maderistas* han llegado,
cargados de *hojaldras* y *caracoles,*
teniendo gato encerrado,
con *volcanes, granadas y cocoles.*

Es el alma de la panadería,
la respetable y querida señora Choma;
por eso ella siempre pedía
sabroso pan para que usted coma.

Los *besos* y las *mordidas,*
con azúcar son mejores,
también a *conejos* y *retorcidas*
les da muy especiales sabores.

Ay, pichón no seas *mamerto*
mi novia es sólo ella,
la quiero porque es *doncella*
y la amaré hasta *muerto.*

Que pasó con mis *huesos y calzones,*
están fríos y poco tostados,

quítemelos y me da unos *coscorrones*,
calientitos y bien azucarados.

Continuó con la tradición,
don Joaquín Castro y su hija,
no se vaya a dar un quemón,
la charola está caliente y fija.

Un maderista y su esposa tenían,
por cobija una *chaqueta*;
los *huesos* y las *canillas* les dolían
por dormir en la banqueta.

El licenciado Garnica y su esposa
continúan con la tradición;
siempre atento a cualquier cosa,
integran la tercera generación.

Señor, me da usted una *corbata,*
una *negrita y un Alfonso fino*;
como el que está en la canasta,
porque es lo que come el *Chino*.

Tú, amigo panadero,
que eres tan madrugador;
vamos a trabajar con mucho esmero,
para que nuestro pan salga mejor.

Distinguido cliente, te invito un *pastel*,
marquesote, hojaldra o *capitulado*;
una *bola de anís* un *beso* o un *laurel,*
o, ¿prefieres un *cocol de salvado*?

Tenemos pastel sabroso de piña
para que los saboree la niña,
nos queda un rico *gusano*,
para que lo coma su querido hermano.

De nuestros cuatro hijos La Fama es,
Rosy, Claudia, Polo y Monse;
con entusiasmo vienen después,
faltando cuarto para las once.

Coscorrones me dieron ellas,
cuando era niño y juguetón;
ahora prefiero *besos y doncellas*,
pa' que se den un quemón.

La tarde está gris y ya languidece,
los faroles y las luces ya se prenden;
qué bonito es cuando en Cosco amanece,
comiendo sabroso pan, que en "La
Fama" nos venden.

Que buen viaje tengan,
"La Fama" les dice,
y que cuando de nuevo vengan,
su estancia... muy feliz sea.

PASTELES DE LODO[138]

Valentín y Gilda Rincón, 1977

Pan, pan, panadero,
compre usted su pan,
pasteles de lodo
venga usté a comprar.

—Pan, pan, panadero,
¿a cómo es el pan?
—A veinte el de dulce
y a diez el de sal.

—¿Y a cómo el duro?
—Es de a dos por uno,
—¿Y el desmoronado?
—Ése lo regalo.

Roscas de canela
venga usté a comprar
con ladrillo encima
y hojitas de rosal.

—¿Tiene pan de huevo,
tiene pan de anís?
—De ésos ya no tengo
porque los vendí.

—¿Tiene pan de nata?
—Sale hasta mañana.

—¿Tiene pan moreno?
—Cómo no, sí tengo.

Pan, pan, panadero
lleve usted su pan,
se acaban las conchas
de lodo y de cal.

Roscas de canela
venga usté a comprar
con ladrillo encima
y hojas de rosal.

—¿Tiene pan de huevo,
tiene pan de anís?...

Intérpretes: Los Hermanos Rincón

Copla
De los nueve que quedaban
uno se tragó el bizcocho
ya no más me quedan ocho,
ocho, ocho, ocho.

"Los diez perritos", fragmento[139]

LA CHILINDRINA[140]

Salvador Flores Rivera

Concha divina, preciosa *chilindrina*
de *trenza* pueblerina, me gustas *al...ahamar*
ven dame un *bisquet* de *siento en boca* y *lima,*
chamuco sin harina, *pambazo* de agua y sal.

La otra semana te vi muy *campechana,*
pero hoy en la mañana *panqué* me ibas a dar;
deja esos *cuernos* para otros *polvorones*
que sólo son *picones* de *novia* en un *volcán.*

Estribillo
Si me haces pan de muerto,
te doy tu pan de caja,
te llevo de corbata,
de oreja *hasta el panteón;*
ahí están los gusanos
Pa' tus preciosos huesos,
nomás no te hagas rosca
que te irá del cocol.

A mi *chorreada* la quiero ver *polveada,*
todita *apastelada,* aquí en mi corazón,
Concha querida, te ves *entelerida,*
pareces *monja* juida, tú que eras un *cañón.*

Te di tu *anillo,* tu casa de *ladrillo*
y ahora... ¡puro *bolillo,* me sales conque no!

Quieres de un brinco tu pan de a dos por cinco,
ganancia en veinticinco y tus timbres de pilón.

Si me haces pan de muerto...

Corrido

LOS CHIMIZCLANES[141]

¡Ay, cocol!,
¿ya no te acuerdas cuando eras chimizclán?
Ya porque tienes tu ajonjolí,
ya no te quieres acordar de mí.

LA VARSOVIANA[142]

Monclova, Coahuila, 1870

—Varsoviana, Varsoviana, ¿quién te trajo aquí?
—Yo solita, yo solita vine a dar aquí.

—Comadre Juana, vamos a bailar
con ese viejo cara de comal.

El pan de maíz, el pan de maíz,
el pan de maíz sin sal.

El pan de maíz, el pan de maíz,
el pan de maíz azul.

Varsoviana

LAS MARGARITAS[143]

Cholula, Puebla, 1870

Si las Margaritas
fueran de mamón,
cuántas Margaritas
me comiera yo.

Pero tienen uñas,
saben arañar;
ahí vienen los yanquis,
se las llevarán.

UN ESTUDIANTE EN VALENCIA[144]

San Pedro Piedra Gorda, Zacatecas, 1948

Un estudiante en Valencia
se puso a pintar el sol,
y del hambre que tenía,
pintó un pan de munición.

Estribillo
¡Qué viva la rumba!
¡Qué viva, qué viva el placer!
¡Qué vivan las niñas bonitas,
chiquitas y guapas que saben querer!

Soy el palo guayacán,
de corazón amarillo;
como soy hijo de Adán,
por eso no me apolillo:
yo soy más bueno que el pan,
más sabroso que un bolillo.[145]

La huazanga
(Frag. Tamazunchale, San Luis Potosí, 1963)

TON'S QUÉ MI REINA, ¿A QUÉ HORA SALES AL PAN?[146]

Botellita de Jerez, 1985

Estribillo
Ton's qué, ton's qué, mi reina,
¿a qué hora sales al pan?
Ton's qué, ton's qué, mi reina,
cada que llego se van.

Güerita color de llanta
aquí está tu rin cromado;

contigo hasta un mudo canta
hasta ponerse morado.

Ton's qué mi reina...

Es que estudias o trabajas,
chaparrita cuerpo de uva.
Te espero aquí mientras bajas,
o prefieres que yo suba.

Ton's qué mi reina...

Ay, güera, cuando te mueras
quién batirá el chocolate,
si al otro mundo te jueras
áhi te llevo tu itacate.

Ton's qué mi reina...

Rock

EL PRÍNCIPE HEREDERO[147]

Lalo Sánchez

Cuando paso por tu casa
compro pan y voy comiendo
pa' que no diga tu mama
que ahí de hambre me estoy muriendo.

Cuando paso por tu casa
voy sonando mi dinero,
pa' que no diga tu mama
que ahí va el príncipe heredero.

Si tu mama no me quiere
porque tomo en las cantinas,
que se acuerde que tu padre
se caía en cada esquina.

Hablado
Y semos la misma arma él y yo,
nomás que yo soy de infantería
y él de caballería, grado superior,
cuando yo corro, él galopa.

Cuando paso por tu casa
voy muy serio y no me río,
pa' ver si dice tu mama:
"Se va riendo por el frío".

Cuando paso por tu casa
voy estrenando camisa
pa' ver si dice tu mama
no está mal, me simpatiza.

Si tu mama no me quiere
porque juego en los billares,
¡si de allí sacó tu padre
pa' llevarla a los altares!

Corrido

Hablado
Ha ha haiiii, *si el viejo es mañoso*
jugador hamposo, le puso toques al tren
pa' que resultara eléctrico,
y la buchaca con imán,
por así cuando perdía, por eso se casó.

Coplas
Más atrás les echo un verso
y adelante un refrán;
ya mero me subo al horno
pa' aprovecharme del pan.[148]

Costa Chica, Oaxaca

Las muchachas de hoy en día
no saben comer tortilla:
pero no más ven un muchacho
y quieren pan con mantequilla.[149]

México, D.F.

Las tortillas

EL RISUEÑO JACAL[150]

Anónimo, Yucatán

En risueño jacal
pone su nixtamal.
Una linda mestiza
le quita la cal.

Y después de cocer,
y después de colar
esa masa se pone a tortear.

Hay que saber vivir.
La torteadora no ignora el vivir.

Dza tíe pakax
ka jo'osik janal
ka' mensik tialin

Oye a la torteadora
como pega sus tortillas.

Pakax Pakax Pakax (*2 veces*).

Luego en su comalito
pone todas sus tortillas
y después de una vuelta

le da una apegadita
y el pan en el fondo del *lek*.

Jarana

Coplas
Una indita muy regular
yo le serví de rodillas,
y era tan grande el comal,
que yo le palmeé la tortilla
y se la ayudé a virar.[151]

La indita
Veracruz, 1956

Cuando yo era chiquito
me engañaban con tortillas;
y ahora que ya voy creciendo
me engañan tus pantorrillas.[152]

La sanmarqueña
Oaxaca, Oaxaca, 1965

Tortillitas de manteca
para mamá que está contenta;
tortillitas de salvado
para papá que está enojado.[153]

Juego para bebés

JULIA, JULIA[154]

Lagos de Moreno, Jalisco, 1890

—Julia, Julia, te vinieron a *pidir*.
Mi parecer yo no lo quise dar.
—Pero *mama,* con ése me he de casar.
—No, no, Juliana, que te vas a *infelizar*.

—¿Con ese hombre que no sabe ni cumplir?
¿Con ese hombre que no sabe trabajar?
—Pero, *mama,* con ése me he de casar.
—No, no, Juliana, que te vas a *infelizar*.

—Ándale, hombre, anda múdate a la leña
para hacerte tu(s) tortilla(s) y de almorzar.
—Pero, *mama,* se me cuece el nixtamal.
—No, no, Juliana, lo que le hace falta es cal.

Copla
Cuando vayas a la Villa
no te acerques a la orilla,
pues te sale Pancho Villa
y te quita la tortilla.[155]

Autógrafo, México, D.F.,
1959

EL BORRACHO 1[156]

Chalahuite, Hidalgo, 1967

Siendo un borracho de casta,
por cantinas y cantones
ando, que el hambre me arrastra
en busca de unos bocoles;
fui a rasguñar la canasta
en busca de unos tochones.

Siendo borracho de casta,
andando en la borrachera,
ya cuando el hambre me arrastra,
y por un simple tontera [*sic*],
fui a rasguñar la canasta,
fui a dar con la ratonera.

En la vida de un borracho
y es una vida tan sana:
comienzan por el domingo
y le siguen con la semana.

Son huasteco

LA MULA MAICERA[157]

L.A. Rabanal

Desde que tú me dejaste
y con risas te burlaste
de lo grande de mi amor,
estoy como el zopilote,
que anda armando su mitote
por comerse lo mejor.

Yo no quiero esos amores
que sólo me dan dolores
de cabeza y corazón;
ora quiero a la que valga
y desprecio a la que salga
para darme un tropezón.

Ora sí cualquier chata
puede encontrarme con plata,
porque mi tiempo se llegó;
que yo solito me basto,
y lo que daba de gasto
ora me lo gasto yo.

Ya no necesito verte,
que por mi bendita suerte
se me amontonó el quehacer,
y en mi rancho tengo viejas
que saben echar sus nejas
para darme de comer.

Ya con ésta me despido,
y si escuchas un chiflido,
no te vayas a asustar;
ándale, mula maicera,
métete pa' la tranquera
que te quiero jinetear.

Copla
Te diré a quién te pareces
aunque te mueras de risa:
a gorda de maíz quebrado
revolcada en la ceniza.[158]

Las pelonas de quince años
valen perlas y galones,
y pelonas de cuarenta,
dos tortillas con frijoles.[159]

El vacilón
(Frag. Samuel M. Lozano, Distrito Federal)

Los frijoles poéticos

Copla
A la salida de misa
te vi en la acera de enfrente;
en tu agradable sonrisa
te vi un frijol en el diente.[160]

LOS FRIJOLES DE ANASTASIA[161]

Salvador Flores Rivera

Los frijoles de Anastasia
se los ha comido el gato.
P's ¿a cómo estamos?,
p's a cuatro...
P's a qué gato sacón.
Si no es gato es porque es gata
pues ya está en su menopausia.
Pa' frijoles, Anastasia
y pa' flojo, un servidor.

Estribillo
¡Caray, qué ricos frijoles!
S' acostaditos están,
son los acompletadores,
los acostumbro sin pan.
Con tortillitas y chile

me tuerzo los que me den,
si hay pulquito pa'l chilito,
me "tuigo" en el terraplén.

Los frijoles de Anastasia
se los ha cocido la olla,
los extraigo con cebolla
y les exprimo un limón:
con longaniza más queso
y cremita... ¡chispas son!...
que después les aconsejo
se los coman de un jalón.

¡Caray, qué ricos frijoles!...

Un platito de frijoles
a cualquiera se le saca,
si no quieres estar flaca
p's a cómo sea te los doy,
te los revuelvo en tu plato
y hasta te echo requesón;
tú les pones el culantro
y me das luego tu opinión.

¡Caray, qué ricos frijoles!...

EL FRIJOLITO 1[162]

1925

Frijolito, frijolito,
frijolito enredador,
no te vayas a enredar
como se enredó mi amor

Frijolito, frijolito,
que naciste junto al río,
no dejes amor pendiente
como dejaste el mío

Frijolito, frijolito,
ojitos de papel verde;
yo les canto "El frijolito",
para que de mí se acuerden.

Qué bonito frijolito,
tan pintado y tan galano;
me lo regaló una indita
en la feria de San Juan.

¡Ay, qué tierras tan delgadas
pa' la siembra del frijol!
Si lo escardan, se da bueno
y si lo riegan, mejor.

EL FRIJOLITO 2[163]

Tamaulipas, 1939

Vengo de Tierra Caliente,
yo vengo de la labor;
vengo a traerte la muestra
del frijol enredador.

Si lo riegas a su tiempo,
si lo escardas, es mejor,
y si le extiendes el riego,
¡ah, qué vainas de frijol!

¡Ah, qué alta miro la luna!,
más alta la quiero ver;
lo supieron en tu casa:
que lo acaben de saber.

A las ocho me dio sueño,
a las nueve me dormí,
y a las dos de la mañana
desperté pensando en ti.

Tanto pasar y pasar,
tanto pasar por aquí,
ya mi huarache se gasta
y tú riéndote de mí.

Ayer que pasé por tu casa
me metí en tu nopalera,

y salió tu perra *shirga*
y rasgó mi calzonera.

¡Ah, qué cipreses tan altos,
y qué de ramas colgando!
¿Qué pensarías, Mariquita,
que yo te estaba rogando?

Coplas
Me gustan los frijolitos,
pero de esos parraleños;
me han gustado tus ojitos:
¡lástima que tengan dueño![164]

Costa Chica, Oaxaca

En una mesa te puse
lentejas con alverjones.
Si yo palabra te di,
fue porque te vi pantalones,
pero ya me convencí
que son naguas las que te pones.[165]

México, D.F.

Frijoles pintos,
claveles dorados;
¡cómo sufren
los enamorados![166]

Atempan, Puebla

Yo no soy de Monterrey,
soy de sus alrededores,
y pedimos a los gringos
que nos guisen los frijoles.[167]
La chinita, *estrofa suelta*
Chavinda, Michoacán

A la luz de los faroles
te llevaré serenata;
prefiero pan con frijoles;
no te me vueles, mi chata.[168]

México, D.F.,
1965

TIEMPO DE HÍBRIDOS[169]

Rockdrigo González, 1985

Era un gran rancho electrónico
con nopales automáticos,
con sus charros cibernéticos
y sarapes de neón.
Era un gran pueblo magnético
con Marías ciclotrónicas,
tragafuegos supersónicos
y su campesino sideral.

Era un gran tiempo de híbridos,
era una luz anacrónica,

una rana postinfónica
en la campechana mental.
Era un gran sabio rupéstrico
de un universo doméstico,
Pitecantrópus Atómico
era líder universal.

Había frijoles poéticos
y también garbanzos matemáticos
en los pueblos esqueléticos
con sus días de pedernal.

Era un gran tiempo de híbridos,
de salvajes y científicos,
panzones que estaban tísicos
en la campechana mental,
en la vil penetración cultural,
en el agandalle transnacional,
en lo profundo norteño imperial,
en la desfachatez empresarial,
en el despiporre intelectual,
en la vulgar falta de identidad.

Los quesos y la mantequilla

Copla
Carita de requesón,
narices de mantequilla,
ahí te mando mi corazón
envuelto en una tortilla.[170]

Sonora

EL TORO[171]

Becerro, becerro,
de la hacienda de Tequila:
le dirás a la ranchera
que me guarde mantequilla.

Becerro, becerro,
de la hacienda del Ranchito:
le dirás a la ranchera
que si tiene queso chiquito.

Becerro, becerro,
de la hacienda El Cabezón:
le dirás a la ranchera
que si tiene requesón.

Coplas
Soy soldado de levita,
que conozco la milicia;
anímate y dame un beso
ora que no hay malicia;
yo soy el que parte el queso
y nada se desperdicia.[172]

La leva
(Frag. Tamazunchale, San Luis Potosí)

Medio queso te di
en prueba de matrimonio;
si no te casas conmigo,
dame mi (queso) demonio.[173]

México, D.F.

LA PASTORA[174]

Estaba la pastora,
larán, larán larito,
estaba la pastora
cuidando un rebañito.

Con leche de sus cabras,
larán, larán larito,
con leche de sus cabras
haciendo los quesitos.

El gato la miraba,
lárán, larán larito,
el gato la miraba
con ojos golositos.

Si tú me hincas la uñas,
larán, larán larito,
si tú me hincas las uñas
te cortaré el rabito.

La uña se la hincó,
larán, larán larito,
la uña se la hincó
y el rabo le cortó.

A confesar la falta,
larán, larán larito,
a confesar la falta
se fue al padre Benito.

A vos, padre, me acuso,
larán, larán larito,
a vos, padre, me acuso
que le corté el rabito.

De penitencia te echo,
larán, larán larito,
de penitencia te echo
que me des un quesito.

El queso se lo dio,
larán, larán larito,

el queso se lo dio
y el cuento se acabó.

CABALLITO BLANCO[175]

Caballito blanco,
sácame de aquí,
llévame a mi pueblo
donde yo nací.

Tengo, tengo, tengo,
tú no tienes nada,
tengo tres ovejas
en una manada.

Una me da leche,
otra me da lana,
otra mantequilla
para la semana.

Ronda

El tentempié

Coplas
De lo verde del nopal
lo que me gusta es la vena,
no hay bocado tan sabroso
como la mujer ajena,
que aunque se coma sin sal,
a todas horas es buena.[176]

Copla de Lotería para "El nopal", Oaxaca

Las muchachas de hoy en día
son como el pan y el queso,
muy pintadas de la cara,
pero véanles el pescuezo.[177]

La sanmarqueña
México, D.F.,
1963

EL SOMBRERO ANCHO 1[178]

1928

Pepa no quiere coser,
ni quiere tejer en gancho:

se quiere civilizar
con uno de sombrero ancho.

Estribillo
¡Ay, qué sonecito!,
¡ay, que por él me muero!
¡Ay, qué me recompito
por un "sombrero"!

¡Qué sabroso el pan y el queso
cuando lo venden en rancho!
Pero es más sabroso un beso
debajo de un sombrero ancho.

¡Ay, qué sonecito!...

Para el hombre, las semitas;
para las tunas, el gancho;
para las niñas bonitas
un hombre de sombrero ancho.

¡Ay, qué sonecito!...

Yo tengo mi galoneado
más rico que el de don Pancho;
mi chata me lo ha adornado,
pues le gusta el sombrero ancho.

¡Ay, qué sonecito!...

Le he comprado su toquilla
con sus amarres de plata;

cuando yo te pida un beso,
no me lo niegues, ingrata.

PAN CON MANTEQUILLA[179]

Parks-Turnbow-González

Estribillo
Pan con mantequilla
tienes que cenar,
cada día más flaco
te vas a quedar.

Mi novia es muy linda
me trata muy bien,
pero nunca, nunca,
me da de comer.

Pan con mantequilla...

Si estoy en su casa
y quiero cenar,
pan con mantequilla
siempre me ha de dar

Pan con mantequilla...

Pan con mantequilla
ya no quiero ver,

aunque sean tortillas
yo quiero comer.

Pan con mantequilla...

Pan con mantequilla
siempre he de tomar,
por favor les pido
me dejen variar.

Pan con mantequilla...

Intérpretes: Los Locos del Ritmo
Rock'n Roll

PAN CON MERMELADA[180]

Los Rippers

Pon la cacerola,
ponla a calentar.
La pequeña niña quiere
pasteles de amor.

Estribillo
Pan con mermelada,
nada, nada.
Pan con mermelada
y besos de amor.

Pan con mermelada
nada, nada.
Pan con mermelada
y besos de amor.

Déjame besarte,
que has ido a amar.
Al ritmo del twist
yo me quiero alumbrar.
Agujetas no quiero,
no las puedo escuchar.
Mis piernas no importan,
no las puedo admirar.

Pan con mermelada...

Pólvora no eres,
no puedo volar,
pero tus pasteles
me hacen engordar.

El juego de tu alma
me causa dolor,
pero yo me curo
con pasteles de amor.

Pan con mermelada...

Intérpretes: Los Rippers
Rock'n Roll

Copla
De la vista nace el amor,
del amor nace la dicha;
pero más sabrosa es
la torta con salchicha.[181]

TODOS TIENEN TORTITA MENOS YO[182]

Botellita de Jerez-Alejandro Lara

Todos.
Todos tienen a quien desear
a quien besar
a quien tocar
a quien amar

Todos.
Todos tienen a quien celar.
Por quien poderse suicidar
y hasta matar.

Si nunca falta
un roto para un descosido.
Qué mala pata,
yo soy el eslabón perdido.
Nadie me pela.
Estoy completamente solo.
Qué onda más gacha,
no tengo solución.

Todos...

Todos.
Todos tienen a quien soportar...

Más vale estar solo
que estar mal acompañado,
me dicen todos.
Pero me siento frustrado.
A mí me llaman
el perro de las dos tortas.
Ni a sangüich llego,
me falta el migajón.

Todos tienen tortita (menos yo)
Todos tienen tortita (menos yo)

Todos tienen tortita
Sí, señores, menos yo.

Intérpretes: Botellita de Jerez

Coplas
Taquitos de rana verde,
tortas de culebra brava;
dale un taco a este pobre,
que ya se le cae la baba.[183]

La sanmarqueña
México, D.F.,
1963

Eres mi amiga más querida,
eres mi amiga más adorada,
porque siempre me disparas
una tostada.[184]

Autógrafo, México, D.F.,
1965

LA PAPA SIN CATSUP[185]

César Lazcano, 1994

Me dejaste, y me dejaste bien dejada, y
ahora que estoy abandonada, supe lo que perdí.
Me dejaste, como a una papa
sin catsup, como a una uña sin mugre,
y la mugre, ¡eres tú!
Me dejaste como a un oído sin cerilla,
como a un diente sin masilla
y la masilla, ¡eres tú!

Me dejaste como la bella durmiente,
como camarón en la corriente,
y el corriente, ¡eres tú!
Me dejaste como a un borracho sin tequila,
como aun bebé sin su mamila,
y el mamila, ¡eres tú!
Creerás que estoy sufriendo,
que ansiosa espero tu regreso,
sin ti yo soy la que salió perdiendo,
pero perdiendo mis complejos.

Ahora me vengo, me subo, me bajo,
me voy, y la paso brutal.

Me dejaste como a un ojo sin lagaña,
telaraña sin araña, y la araña, ¡eres tú!
Me dejaste como auna cueva sin osos,
como a un nopal sin lo baboso
y el baboso, ¡eres tú!
Me dejaste como a *Tin Tán* sin su carnal,
como a Tarzán sin su puñal,
y el puñal, ¡eres tú!
Ahora me vengo...

Intérprete: Gloria Trevi

Coplas
Tengo que quererla a usted,
tan solamente por eso:
que será más hermosa
que chile verde con queso.[186]

Glosada en décimas
Tuxtepec, Oaxaca

Cuando vayas en la calle,
comiendo chicharrón,
acuérdate de tu amiga
de todo corazón.[187]

Autógrafo,
México, D.F.,
1965

Poblano: chicharronero,
corta bolsas y embustero.[188]

México, D.F.,
1940

LOS CARACOLES O EL BURRO[189]

Caracoles, caracoles
caracoles a bailar,
que con la patita chueca, (1)
lo bien que se daba la vuelta. (2)
Salto de cabra y así decía: (3)
—Como lo manda su Señoría. (4)

Yo tengo una canasta
de chicharrones,
para darle al burro
porque no come.

Yo tengo una canasta
de chiles verdes,
para darle al burro
porque no muerde.

Yo tengo una canasta
de calabazas,

para darle al burro
porque no abraza.

Este juego puede ser ejecutado en círculo giratorio o en dos filas, una frente a la otra; pero siempre con un número impar de jugadores. Mientras cantan la primera estrofa van ejecutando lo que en cada verso indica:

1 Ponen un pie doblado en el suelo.
2 Dan una vuelta.
3 Saltan hacia adelante con los pies juntos.
4 Hacen una reverencia.

Más adelante, cuando dicen: "Yo tengo una canasta" se colocan por parejas, frente a frente, o se acercan las filas de modo que formen también parejas, y en este momento dan varios golpes con las palmas de las manos; al llegar al final y decir: "¿Por qué no abraza?", cada niño escoge libremente a su pareja y forzosamente queda alguien solo que tiene que hacer el papel de burro, en el centro del círculo.

Juego infantil

LA COMIDA

Comida corrida

PLATILLOS MEXICANOS[190]

Salvador Flores Rivera

Ya se dijo en mil canciones:
¡qué lindo es ser mexicano!
Y yo estoy más orgulloso
porque soy un comelón;
no más salgo de mi patria
y a extrañar los chicharrones,
y los tacos de carnitas,
nenepile y corazón.

Esas ricas quesadillas
con su flor de calabaza,
huitlacoche, papa o sesos,
echaditas del comal,
y esas otras doraditas
de pancita, raja y queso,
que no más de recordarlas
ya hasta quiero echarles sal.

Qué me dicen del menudo,
del pozole y de la birria,

adornado con cebolla
y su orégano y limón,
harto chile molidito
y un jarrote de tepache,
y después sus frijolitos
aguaditos y en sazón.

En las bodas, en bautizos
y en banquetes de mi tierra,
sirven un caldo de pollo
y el indispensable arroz,
a esto sigue un rico plato
del mejor mole poblano,
y después unos refritos
y un curado de melón.

Cuando me voy al mercado
para echar taco placero,
compro rica barbacoa
y tortillas que hay ahí,
aguacate y nopalitos,
queso y chiles cuaresmeños
y mi pápalo quelite
por si quiero repetir.

Ahora sí, ya me despido
porque tengo agua la boca,
Voy a echarme unos huauzontles
con gorditas de albañil,
mi carnita con acelgas
y espinazo en mole de olla,

un pipián y romeritos...
¿quién de ustedes va a venir?

Inédita

QUÉ PLACENTERO ES COMER VERDURA, CARNES Y QUESOS O ALGO QUE SEPAN HACER CON TODOS SUS ADEREZOS[191]

Guillermo Velázquez B., Guanajuato, 1993

1. No hablo de platillos raros
ni caprichos culinarios
que sólo los millonarios
consumen (siendo tan caros).
Hablo de unos cuantos varos
que alguien dedique el placer
de un guiso digno de ver,
de un fresco bisté de vaca
(el "jet-set" que come caca...)
QUÉ PLACENTERO ES COMER.

2. Quién aquí despreciaría
una costilla al carbón
con su sal y su limón,
y una cerveza bien fría.
Frijolitos, les diría,
acabados de cocer,
chiles verdes pa' morder

o salsa si hay una poca.
Hasta se hace agua la boca...
QUÉ PLACENTERO ES COMER.

3. Alguna sopa de arroz
con un huevito estrellado,
un mole condimentado.
Amigos, ¡válgame Dios!,
pechugas me acabo dos
si se llegara a ofrecer.
Un zancarrón que roer
o unas brevitas de puerco
y hasta dirán que soy terco...
QUÉ PLACENTERO ES COMER.

4. Caldo de habas o de res,
nopalitos y lentejas,
riñones, patas, mollejas,
el filete de un buen pez...
chícharos de cuando en vez,
verduras al escoger.
El pepino es buen enser,
zanahoria, lechuga y col
en casa o a pleno sol...
QUÉ PLACENTERO ES COMER.

5. El agua de frutas frescas:
papaya, sandía, melón,
horchata, mango, limón...
y no habrá sed que padezcas,
no hay hambre en que languidezcas
que no puedan resolver

garbanzos (a más no haber)
o una birria de borrego,
aunque yo ni a largas llego...
QUÉ PLACENTERO ES COMER.

6. Un traguito de aguardiente
platicando en la cocina,
un pedazo de cecina
con tortillitas calientes,
luego un cafecito hirviente
—de olla, como debe ser—
y para más padecer,
salsa de la mera brava.
¡Hasta se me cae la baba!
QUÉ PLACENTERO ES COMER.

Intérpretes: Los Leones de la Sierra de Xichú

LA TIERRA DE JAUJA[194]

Ruperto Flores Rivera
Xichú, Guanajuato, 1927-1930

Don Ruperto y Doña Julia
nos han mandado traer;
que vinieran, que vinieran,
que había mucho que comer.

Hay arboles de tortillas,
matas de jarros de atole,

con sus cerros de menudo
y sus arroyos de pinoles...

Estribillo
Qué dicen, muchachos, ¿vamos?
Vamos a ver si es verdad,
si es verdad eso que dicen
nos quedamos por allá...

Que es que hay lagunas de leche,
montañas de requesón
el que quiera comer queso
hay cuajada de a montón...

Qué dicen, amigos, ¿vamos?
Si me acompañan a mí,
y si es verdad lo que dicen
nos quedamos por aquí...

¡Válgame la cruz de queso
con su peña de tortilla,
sus brazo de requesón,
su cuerpo de mantequilla!

Qué dicen muchachos, ¿vamos?...

Qué buena la barbacoa,
tortillas para almorzar,
con su chile muy sabroso
sazonado con su sal...

Sopas de fideo y arroz,
de letras y macarrón,
unos chiles en vinagre
guacamole y chicharrón...

Quelites con verdolagas,
calabacitas y ejotes;
luego dulce la manzana
biznaga y chilacayote...

Frijoles negros de la olla,
nopales, chilcuague, sal,
y unas gordas martajadas
son el gusto nacional...

Qué dicen, muchachos, ¿vamos?

Poesía conmemorativa

VARIEDADES 1[193]

(fragmentos)

H. Salvador-M. Gourra-P. Anka-D. Shannon

(Cántese con la música de "Melodía de amor" de Los Rebeldes del Rock)

Milanesas de amor,
enchiladas con papas,

churros de a tostón
y agua de limón.

Hay tamales de amor,
yo los vendo calientes;
también hay de sal,
pero saben mal.

Intérpretes: Los Polivoces

LA PANZA ES PRIMERO[194]

Autor: José Eliseo Díaz Bueno
Tepic, Nayarit, 1997

Le cantamos al amor,
al paisaje y a la vida,
olvidamos lo mejor,
me refiero a la comida.

Los frijoles de rigor
nunca faltan en la mesa,
con el pobre, obligación;
con el rico, a la francesa.

No hay quien pueda resistir
una carne asada al gusto,
con su chile de albañil
y tortillas en su punto.

Si pasamos por Tepic,
un pescado zarandeado
es el mejor *souvenir*
que se llevan del estado.

No podemos olvidar
el ostión y el camarón,
que te pueden levantar
aunque estés en el panteón.

El menudo es tradición;
si anduviste de parranda
te mejora la presión,
aunque traigas taquicardia.

Un pozole con limón,
tamales con champurrado.
En la fiesta del Señor,
enchiladas y mechado.

Una birria en el Parián
con un tarro bien helado,
para postre la canción
de un mariachi mexicano.

A la carta

La sopa

Copla
Yo soy la carnita,
tú eres el arroz:
¡qué buena sopita
haremos los dos![195]

Sonora

Ni sopa recalentada,
ni amor por segunda vez,
porque ni la sopa es sopa,
ni el amor tampoco lo es.[196]

SOPA DE AMOR[197]

Sejias-Escobar, 1982

Un beso en agua de anís,
bébelo sin miedo porque no cuenta dinero
la brisa en tus pies.
Oh, oh, oh.

Una mirada con helado de miel,
tómala despacio que se enfada el camarero.
Cierra los ojos y prueba el pastel.
Oh, oh, oh.

Estribillo
Sopa de amor, señor, sopa de amor.
Sopa de amor, camarero.
Sopa de amor, señor, sopa de amor.
Sopa de amor, que te quiero.

Cómo me gusta la sopa de amor.

Un hola con bechamel
y un licor de frutas con helado de te quiero.
Unos buenos días sobre el mantel.
Oh, oh, oh.

Una sonrisa dentro del consomé,
tómala despacio que se enfada el cocinero.
Pena de amores hecha puré.
Oh, oh, oh.

Sopa de amor, señor, sopa de amor...

Copla
Cuando Dios se determina
a matar a los mortales,

ya no bastan los cordiales
ni los caldos de gallina.[198]

Glosada en décimas
Tabasco,
1916

CALDO DE CAMARÓN[199]

Raúl Ponce, 1980

El caldo de camaroncito
qué rico es y qué sabrosito,
todo aquel que ya lo ha probado
seguro ha quedado
acelerado.

El caldo de camaroncito
a sudar nos pondrá un ratito,
es por eso que yo te invito
a tomar caldito de camarón.

Estribillo
Vamos a tomar un caldo,
un caldo de camarón,
te van a quedar ganas
de pedir pilón.

Vamos a tomar un caldo,
un caldo de camarón,
sé que no te vas a arrepentir.

Intérpretes: Los Polifacéticos

SABOR AL CALDO[200]

Salvador Vázquez

Si comes lo mismo a diario
y lo comes demasiado,
llega el día
en que no se antoja.

Por bueno que esté el platillo,
por bien que se vea el muñeco
hay que cambiarle de ropa

Por bello que sea lo bello,
por bueno que esté lo bueno,
hasta la belleza cansa.
Piensa lo que digo y verás,
que de acuerdo vas a estar
que le debes de cambiar.

Si estás casado
desde hace tiempo
hay que cambiarle
el sabor al caldo,

y en el sabor
y en la variación [*sic*]
está lo sabroso.
Hay que cambiarle
de vez en cuando.

Hay que cambiarle
de vez en cuando,
hay que cambiarle
el sabor al caldo.

Intérpretes: Industria del Amor
Cumbia

LA CUCARACHA Y LA PULGUITA[203]

Melissa Sierra, 1970-1971

Una cucaracha y una pulguita hacían vida en común y cocían su pucherito en la cáscara de un huevo. Un día, la curiosa cucaracha se asomó a ver el cocido, y tanto, tanto, se empinó que ¡zaz!, se cayó de narices hasta el fondo. La pobre pulguita se puso a llorar.
Al oír tanto llanto, la puerta de la cocina preguntó:
—¿Por qué lloras tanto, pulguita?
—¿Cómo quieres que no llore?

Cantado
La cuca se empinó para ver el cocido
y por tanto empinarse al fondo se cayó.

pulguita llora y llora,
con desesperación,
con desesperación.

Narrado
—¡Pobre cucaracha!, ¡rechinaré, rechinaré!
Al oír los rechinidos, la escobita preguntó desde el rincón:
—¿Por qué rechinas, puerta?
—¿Cómo quieres que no rechine?

Cantado
La cuca se empinó para ver el cocido
y por tanto empinarse al fondo se cayó,
pulguita llora y llora,
la puerta rechinando
con desesperación,
con desesperación.

Narrado
—¡Pobre cucharacha!, yo barreré, barreré,
Llegó un carrito de dos ruedas y dijo:
—¿Por qué barres, escobita?
—¿Cómo quieres que no barra?

Cantado
La cuca se empinó para ver el cocido
y por tanto empinarse al fondo se cayó,
pulguita llora y llora,
la puerta rechinando,
la escobita barriendo
con desesperación,
con desesperación.

Narrado

—Entonces —dijo el carrito— yo voy a correr.

Un madero que estaba todo quieto recargado contra la pared, al ver al carrito corriendo, preguntó:

—¿Por qué corres, carrito?

—¿Cómo quieres que no corra?

Cantado

La cuca se empinó para ver el cocido
y por tanto empinarse al fondo se cayó,
pulguita llora y llora,
la puerta rechinando,
la escobita barriendo,
el carrito corriendo
con desesperación,
con desesperación.

Narrado

—¡Ah! —exclamó el madero, que era puro ocote—, yo arderé en brillante llamarada. Había junto al madero un arbolito, que asombrado preguntó:

—¿Por qué ardes tanto, ocote?

—¿Cómo quieres que no arda?

Cantado

La cuca se empinó para ver el cocido
y por tanto empinarse al fondo se cayó,
pulguita llora y llora,
la puerta rechinando,
la escobita barriendo,
el carrito corriendo
y el madero ardió

con desesperación,
con desesperación.

Narrado
Y entonces el arbolito dijo:
—Pues yo me sacudiré hasta que se caigan todas mis hojas.
Una muchacha que pasaba por ahí, con su cantarito de agua dijo:
—¿Por qué te sacudes, arbolito?
—¿Cómo quieres que no me sacuda?

Cantado
La cuca se empinó para ver el cocido
y por tanto empinarse al fondo se cayó,
pulguita llora y llora,
la puerta rechinando,
la escobita barriendo,
el carrito corriendo
y el madero ardió
con desesperación,
con desesperación.

—Pues yo arreglaré todo —dijo la muchacha, y dirigiéndose al pucherito, sacó a la cucaracha de la cáscara de huevo.

Cuento infantil

GRANITOS DE ARROZ

Coplas
Ya pasó Tío Todosantos,
se acabaron su pipián;
yo no soy de los que dicen:
"si hay, si sobra, me darán",
al cabo yo soy arroz,
y a mí me comen con pan.[202]

Costa Chica, Oaxaca

Adiós, corazón de arroz,
yo con una y tú con dos.[203]

Sonora

Adiós, carita de arroz,
hasta mañana a las dos.[204]

México, D.F.,
1968

Eres granito de arroz,
amada prenda querida;
si nos queremos los dos,
aunque nos cueste la vida;
a ti te acompaña Dios,
a mí la Virgen me cuida.[205]

La huazanga
Municipio de Pisaflores, Hidalgo, 1967

LAS VERDURAS[206]

(parodia de Juan Charrasqueado)

Víctor Cordero

Voy a contarles la historia de las verduras
de una hortaliza que tenía don Nicanor,
a donde papas, chiles verdes y cebollas
se reventaban un tremendo vacilón.

Una lechuga que se hallaba enamorada
de un chile verde grandote y vacilador,
pero un camote muy borracho y parrandero
a la lechuga le pasaba con calor.

Un día de tianguis que se fueron al mercado,
al chile verde le corrieron a avisar:
cuídate, chile, que por ahí te andan buscando,
unos chayotes te quieren escabechar.

No tuvo tiempo de meterse a la canasta,
ejote en mano se le echaron de a montón
y les gritaba: ¡soy picoso y soy buen chile!,
cuando un camote le pegó por el pulmón.
Ya la cebolla en la cocina está llorando,
todas las papas la consuelan y se van,
y por el cerro los nopales van bajando,
un chile muerdes que te vienen a enterrar.

Aquí termino de cantar este corrido
de una hortaliza que tenía don Nicanor,
a donde papas, chiles verdes y cebollas
se reventaban un tremendo vacilón.

Polka

Copla
Calabazas me pediste,
calabazas te he de dar;
si quieres más calabazas,
voy a mandarte un costal.[207]

TE CREES MUY SALSA
(LAS CALABAZAS 1)[208]

C. Ramos-Herminio Kenny

Hablado
Éntrenle al vacilón,
que hay pulquito y guajolote,
y oigan esta canción,
que resultó de borlote.
Áhi les va.

Cantado
Ya no quiero de amor calabazas,
porque a mi pecho le hiciste un chayote;

¡y qué dirá ese infeliz ejote!,
¿que un elote te pedía de pilón?

¿Qué pensarías que soy tu jitomate?
¿Qué pensarías que soy tu salsa verde?
¿Y qué diría ese infeliz tomate?:
¿que aguacate le pido de pilón?

Hablado
No se atarante, mi prieta,
ni cierre tanto los ojos,
que ya sabe que aquí estoy
pa' cumplirle sus antojos.

Cantado
Deliciosas calabazas de Castilla,
cómelas con mole, que son sabrosas,
y verás después qué chulas cosas;
sólo pido no olvides mi pilón.

Se me afigura no quieres ensalada
y cuando pienso que eres una perjura,
yo ya no quiero tratarte de verdura
y por eso aquí acaba la canción.

Hablado
Qué fuerte hervor de frijoles,
el olor me está mareando;
y si hay alguno que brinque,
pos ya le estamos dimos dando.

Ya no quiero de amor calabazas...

Hablado
A mí me gustan las yeguas
que, aunque feas, sean retozonas,
porque a mí me cuidan siempre,
mejor que algunas personas.

Deliciosas calabazas de Castilla...

Se me afigura no quieres...

Hablado
Si le dicen que soy feo
cuando la ando yo paseando,
dígales lo que usted piensa
cuando yo la estoy besando
y es aquí donde se acaba el vacilón.

LAS CALABAZAS 2[209]

1930

Si te fueras a Puebla,
me traerás una poblana;
no te la pido con trenzas
sino con chongo de lana.

—Dame, Morena, lo que comes.
—Calabacitas con chicharrones.
—Dame, Morena, lo que cenas.
—Calabacitas con berenjenas.

Moreno pintan a Cristo,
morena a la Magdalena,
y tú, para no ser menos,
también te pintan morena.

—Dame, Morena, lo que tragas.
—Calabacitas con verdolagas.
—Dame, Morena, lo que chupas.
—Con calabazas, unas chalupas.

Me gustan las calabazas,
de las que produce el suelo,
pues calabazas de amor
ni me gustan, no las quiero.

JUEGO INFANTIL

Por aquella sierra
vienen bajando
cuatro palomitas
y un viejo arreando.

Se queman, se queman,
las calabazas;
el que no se abrace
se queda de guaje.

Los niños, en número impar, hacen una rueda y cantan la canción; cuando dicen "el que no se abrace" tienen que abrazar al compañero que tienen al lado, el que se quede solo, pierde.[210]

CORTÉ UNA CALABACITA[211]

Alvarado, Veracruz

—Si te vieras en el mar,
¿qué quisieras ver, Cupido?

—Entraría a considerar
que no puedo andar contigo;
si se apresta este lugar,
nada más que no has querido.

Yo corté una calabacita, mi vida,
al pasar por un verano.
Y como estaba tan tiernita
se me deshizo en la mano, mi vida.
¡Qué bonita trigueñita!,
¡quién fuera su primo hermano, mi vida!

Dame la mano derecha,
ya me voy a despedir,
y si me tienes sospecha,
bien me lo puedes decir,
que mi amor hasta la fecha
y no te agarre antes del fin.

Son jarocho

NICOLASA[212]

Distrito Federal, 1963

Cuando paso por tu casa,
por el barrio del Borrego,
me haces señas y te agachas,
y luego me echas los perros.

Estribillo
Nicolasa, Nicolasa,
¿por qué na' más me entretienes?
Ya no me des calabazas:
¡mira qué flaco me tienes!

Quisiera ser diputado
y gozar de muchos fueros,
para tenerte a mi lado
por la fuerza o por dinero.

Nicolasa, Nicolasa...

EL JICOTITO[213]

Valentín Rincón, 1977

De la calabaza,
dentro de la flor,
vive el jicotito
torrón ton.

Flor de calabaza,
linda y amarilla,
estrella brillante
que brota en la milpa.

Y en cada corola,
y en cada botón,
vive el jicotito
torrón ton.

De la calabaza,
dentro de la flor,
vive el jicotito
torrón ton.

Dos alitas gruesas,
negras y amarillas,
y dentro otras alas
de seda muy fina.

Rodeado de polen,
dentro de la flor,
vive el jicotito
torrón ton.

Intérpretes: Los Hermanos Rincón

EL TEJONCITO[214]

Acamixtla, Guerrero, 1968

En unos surcos de milpa
andaba un tejón,
con su brazada de elotes
envueltos en su cotón.

Sus hijos y su mujer
lo salieron a encontrar;
se metieron pa' su cocina
y los pusieron a asar.

Un tejoncito atrevido,
con su grande atrevimiento,
se sacó uno de la lumbre,
se lo metió por dentro.

Lo vido su mamá agarrar
una cuarta muy gruesa:
"Ora verás, goloso,
espérate que se cueza".

Copla

Yo soy como el elotito,
que a los tres días tengo cuates;
así como soy altito,
me gusta entrar al combate,
porque yo no necesito,
para rodar, tecomate.[215]

El siquisirí, Alvarado, Veracruz

LA BURRA ELOTERA[216]

Lorenzo Elisea, 1967

Ahora que estoy más fregado
me ha salido una chambita;
tú quieres que yo te lleve:
¿con qué te tapo si llueve?

Yo me casaba contigo,
pero ¿con qué te mantengo?;
sólo que comas elotes
como la burra que tengo.

Si es chaparrita,
yo soy chaparrito,
y si es grandota,
¡qué más me da!
Me les hago la medida
para mayor facilidad.

Yo soy de Tierra Caliente;
si quieres darte un quemón,
vamos a darnos un entre,
pero sin obligación.

Sólo el que carga el morral
sabe lo que trae adentro;
tienes que comer elotes
como la burra que tengo.

Canción ranchera moderna

EL CHÚMBELE[217]

1931

Ya los arrieros se van,
y yo me voy con ellos;
lo que me puede es dejar
ese par de ojitos negros.
Chúmbele, ay, chúmbele.
Chúmbele, ay, chúmbele.

Y en una mesa te puse
un plato con cuatro elotes;
no te lo digo de veras,
no más porque te alborotes.
Chúmbele, ay, chúmbele.
Chúmbele, ay, chúmbele.

Y en una mesa te puse
un platón con berenjenas;
no te lo digo de veras,
como modo de arguenenas.
Chúmbele, ay, chúmbele.
Chúmbele, ay, chúmbele.

Copla
Que tumba la berenjena, [sic]
te pareces a la flor.
Si tú probaras mi amor,
verías una cosa buena;

cuando veo tu resplandor
hasta el corazón me truena.[218]

El siquisirí

LA JESUSITA[219]

San Pedro Piedra Gorda, Zacatecas, 1948

Ándale, Cuca, vámonos al baile,
donde se alumbran con cuatro faroles,
donde es el gusto de todos los hombres,
donde se baila de punta y talón.

Estribillo
Quiéreme, Jesusita,
quiéreme por tu amor,
mira que soy tu amante,
también tu adorador.

¡Mira qué piernas tan gordas!,
¿me las podrías regalar?
Parecen lechugas verdes
acabadas de cortar.

LOS RÁBANOS[220]

Miguel Ángel López, 1952

Y cuando andábanos
cortando rábanos,
unos cortábanos,
otros dejábanos.

Y cuando andábanos
cortando rábanos,
unos cortábanos,
otros dejábanos.

Y cuando andábanos
cortando rábanos,
unos dejábanos
y otros cortábanos.

Intérprete: Eulalio González, *Piporro*

CHÍCHAROS DULCES[221]

T. Roe-A. Robles

Ven, amor,
para probar al fin.
Vamos, vamos
a comer este dulce.

Ven, amor,
para comer los dos
y espero, corazón,
que a ti te guste.

Entré a la cocina
y me puse a buscar
a ver qué encontraba
para merendar.

Y chícharos dulces
fue lo que encontré,
porque en la cocina
ya no hay qué comer.

Ven, amor,
para comer los dos
y espero corazón
que a ti te guste.

Ven, amor,
no me digas que no.
Creo que está sabroso
este dulce.

Al día siguiente
no hallaba qué hacer,
dolor de estómago
le dio a mi mujer.

Y a mí de pasada
me fue a retorcer,

los chícharos dulces
no vuelvo a comer.

Ven, amor,
ya no te voy a dar,
estos chícharos dulces
que hacen daño.

La pobre de mi esposa
ya se me iba a enfermar,
de chícharos dulces
no quiero saber más.

Prometo seriamente
que no vuelvo a comer
de lo que yo encuentre,
sin saber lo que es.

Ven, amor,
ya no te voy a dar...

Intérpretes: Los Rockin Devils, Rock'n Roll

LA RETRETA[222]

Don Juan quiere cenar
papitas en pipián
calíllenlo, calíllenlo,
porque si no se va.

El toque anterior se ejecuta en los cuarteles por la noche, a la hora de la repartición del rancho a los soldados; los muchachos lo repiten cuando juegan a los militares.[223]

Copla
Papas y papas para papá,
papas y papas para mamá;
las calientitas para papá,
las quemaditas para mamá.[224]

Juego para bebés

ENSALADA

Coplas
Hojas de la col morada
que con el agua se entristecen.
Yo te he dicho, prenda amada,
que no platiques con ése:
aunque no te diga nada,
pero a mí no me parece.[225]

La Huazanga
(Frag. Pánuco, Veracruz, 1966)

Al pasar por una huerta
corté una flor de lechuga;

he despreciado a la gente:
contimás a ti, basura.[226]

Sonora

Las mujeres de estos tiempos
son como las alcachofas,
que ostentan poca substancia
y todas se vuelven hojas.[227]

Glosada en décimas

Corté la flor del candó
y la rebané en un plato.
Cada vez que sale el sol
me acuerdo de tu retrato;
mira lo que hace el amor:
corazón, no seas ingrato.[228]

Costa Chica, Oaxaca

Dicen que tienes a otro;
lo quisiera conocer;
aquí le traigo su alfalfa
para darle de comer.[229]

Costa Chica, Oaxaca

Los tacos

Copla
En la orilla de un charco
estaba cantando un sapo,
y en sus cantidos decía:
"Joven, tacos. Tacos, joven". [sic][230]

México, D.F.,
1965

LA TAQUIZA[231]

Salvador Flores Rivera

Pudo más una taquiza que mi más ferviente amor,
cuando yo me declaraba te dio un hambre de pavor.
Yo te hablaba de bonanza, te empezaba a apantallar
y las tripas de tu panza comenzaron a chillar;
si pa' un taco no te alcanza... no salgais a platicar.

Al pasar frente a los tacos yo te daba el corazón,
tú, en lugar de recebirlo, te metiste hasta el rincón.
Pa' dicirte que te quiero ya te tuve que alcanzar;
tú ordenabas al taquero seis de lengua pa' empezar
y tres tacos de suadero, seis de bofe con cuajar.

Te expliqué casi llorando que te amaba con pasión,
tú le entrabas a los de ojo, tripa gorda y chicharrón.
Cuando quise poner fecha pa' la iglesia y pa'l cevil,

te aventaste como flecha al cachete y nenepil;
eructabas satisfecha... Yo te hablaba de perfil.

Al seguir con los de oreja me entró la preocupación,
vino trompa, sesos, buche, diez de nana y corazón.
Vino el cuero a la taquiza y hasta el hígado surgió
y llegó la longaniza, la cecina y el riñón.
y al entrarle a la maciza me saliste con que... ¡NO!

Al notar que me enojaba te alcanzaste a refinar
tres cervezas bien heladas... seis machitos pa' acabar.
Cuando al fin vino la cuenta, me tuvieron que prestar...
—Ya 'stá güeno de botana... ora invítame a cenar.
—¡Qué te mantenga el gobierno... qué manera de tragar!

DE TRIPAS, CUAJO Y CORAZÓN[232] (O CON UNA MEMELA PASIÓN), (O ESE TACO QUE YO TIRO...)

Botellita de Jerez, 1985

Mi morra me dejó
tan redepronto
por otro tonto.
Se fue con ese Sancho
y retesancho
de su devoción.

Estribillo
Me fui angustiado
a conseguir
algún consuelo
pa' mi decepción,
con doña Pelos,
la del cuatro bis;
fue aquel conecte
de alucinación.

Tacos de moronga, de suadero y nenepil,
longaniza en papas, de maciza, ven a mí.
Voy por la banqueta, tripas, cuajo, y corazón,
con una memela me conformo la pasión, pasión.

Me fui angustiado...

Ataca la infección malora
¡qué dolor, cuánto retortijón!
No pudo ser más trágica
y tremenda mi desilusión;
allí se me salieron
los pedazos de mi corazón.
Untada la banqueta fui dejando
de mi guaca amor.

Tacos de moronga...

Guacarrock

CINCO DE SUADERO[233]

J. Antonio Noriega Vega, 1980

Tengo un amigo Juanito
que lo estimo de a montón
ganas tengo de invitarle
un taquito sabrosón.

Todo taquito es sabroso,
teniéndole un buen sazón,
y si le pones chilito,
¡ay, Juanito, qué emoción!

Pide su taco la dama,
pide su taco el señor,
pero si son de suadero
tú quedas mucho mejor.

Estribillo
Hay de machitos y oreja
(cinco de suadero),
hay de lengua y de bistec
(cinco de suadero),
y ya todos pedimos
(cinco de suadero).

Intérpretes: Los Platinos

GUACA ROCKER[234]

Botellita de Jerez, 1985

Si tu chava es una mezcla
entre la Janis y la Lola Beltrán,
y si te pasa retorcerte como Elvis
y el pachuco *Tin Tán*

Con tus tenis con espuelas
vas que vuelas,
y a tus broncas pones alas
pachangueras.

Ponte buzo caperuzo
para entrarle al guaca rock

¡Guaca rocker!

Si revuelves en tu taco,
aguacate con un disco de rock
y le agregas a Chuck Berry,
a José Alfredo y una pizca de blues.

Si tu facha la decoras
bien cotorra,
con aretes y tatuajes
¡no te rajes!

Ponte buzo caperuzo
para entrarle al guaca rock.

Guaca/Rock

Coplas

La escalera se te quiebre
y caigas de arriba a abajo,
enrollando tu tortilla
y pelando tu tasajo.[235]

Copla de lotería para "La escalera"
Oaxaca,
1932

Del cielo cayó un bistec,
untado de mantequilla,
y en cada esquina decía:
"Cómetelo con tortilla".[236]

Autógrafo, México, D.F.,
1965

Las carnes

En su penoso peregrinar previo a la llegada al islote del lago de Texcoco, los aztecas pidieron a los culhuacanos un sitio dónde poder establecerse. Éstos los enviaron a Tizapán, donde abundaban las serpientes, pensando que así se desharían de ellos. La Crónica Mexicáyotl, *escrita en náhuatl por Fernando Alvarado Tezozómoc, narra lo que entonces sucedió:*

los aztecas mucho se alegraron
cuando vieron las culebras,
a todas las asaron,
las asaron para comérselas,
se las comieron los aztecas.[237]

Copla

Dicen que la iguana muerde,
yo digo que no es verdad:
yo agarré una por la cola
y me la comí en pipián.[238]

México, D.F.,
1967

LA IGUANA[239]

D.P.

Si quieres comer iguana,
yo te las iré a buscar,
Si quieres comer iguana,
yo te las iré a buscar.
En el patio de tía Juana
se salen a calentar.
En el patio de tía Juana
se salen a calentar.

Estribillo

Uy, uy, uy, qué iguana tan fea,
miren cómo se menea.
Uy, uy, uy, qué iguana tan loca,
miren cómo abre la boca,
Uy, uy, uy, que se sube al palo.
Uy, uy, uy, que ya se subió.
Uy, uy, uy, que busca su cueva.
Uy, uy, uy, que ya la encontró.
Uy, uy, uy, que se mete en ella.
Uy, uy, uy, que ya se metió.

Cuando la iguanita quiere
que el iguano vaya a misa.
Cuando la iguanita quiere
que el iguano vaya a misa,
se levanta muy temprano
a plancharle su camisa.
Se levanta muy temprano
a plancharle su camisa.

Uy, uy, uy, qué iguana tan fea...

Una pobre iguana verde
le dijo a una colorada.
Una pobre iguana verde
le dijo a una colorada:
vámonos para mi tierra
mañana en la madrugada,
vámonos para mi tierra
mañana en la madrugada.

Uy, uy, uy, qué iguana tan fea...

Ya con ésta me despido,
la iguanita se acabó.
Ya con ésta me despido,
la iguanita se acabó,
que se acabe en hora buena,
como no me acabe yo.
Que se acabe en hora buena,
como no me acabe yo.

En CFM se registran otras cuatro coplas de "La iguana" con referencia gastronómica:[240]

Si quieres comer iguana,
vamos para Tecomán;
verás allá a las inditas
comiéndolas en pipián.

Dicen que la iguana muerde,
pero yo digo que no:
yo agarré una por la cola
y me la comí en arroz.
Veracruz
1964

Dicen que la iguana muerde,
yo digo que son guayabas:
yo agarré una por la cola
y en los llanos de Orizaba.
Veracruz
1965

Que yo quisiera
que usted se volviera anona
y que yo me la comiera:
madurita, madurita,
que del palo se cayera.

Coplas
Para guisar una liebre
sólo me falta la sal;
tú, que la tienes de sobra,
¿me la quieres emprestar?[241]

México, D.F.
1956

Las muchachas de mi tierra
son como la carne blanca;
apenas ven una peseta,
se tiran a la barranca.[242]

La Sanmarqueña, Oaxaca, Oaxaca, 1965

ARMADILLO EN SU CUEVA[245]

Patrocinio González, Mecayapan, Veracruz

Acompañado de mi perro,
juntos todos con la familia,
comiendo atento
el caldo del ayotoche. [armadillo]

Nadie agarra armadillo
si no tiene perro
y no traiga cerillo
en un cerro.

Es grande la cueva
donde vive el toche, [armadillo]
fácil presa de noche.

Agarramos un armadillo;
al pie de un cerro
le prendimos cerillo.

Llegando en la casa
nos pusimos a alinear;
me dieron café en la taza
y mole de armadillo para cenar.

Qué sabroso el mole verde
con la carne de armadillo;
comiendo nada se pierde
hecho de masa y mostillo.

Delicada la carne de armadillo
cuando se agarra y se come,
y no se respeta el platillo
es cuando se enoja el chaneque.

Permanezco contento,
juntos todos con la familia,
comiendo atento
el caldo de ayotoche.

Nadie agarra armadillo
si no tiene perro
y no traiga cerillo
en un cerro.

Es grande la cueva
donde vive el toche,
fácil presa de noche.

Canción tradicional acompañada con guitarra y acordeón

COCHINITA PIBIL[244]

Ermilo Patrón López

Pobre cochinita, la van a cebar.
Pobre cochinita, la van a matar.
Pobre cochinita, la van a guisar,
y en pibil se la van a gozar.

Pobre cochinita, la van a cebar.
Pobre cochinita, la van a matar.
Pobre cochinita, la van a guisar,
y en pibil se la van a gozar, además.

Cómo se tiende a roncar
bajo el rojo y viejo flamboyán. (*2 veces*)

Cómo le gusta brincar
cuando sale del corral a pasear.

Cómo se pone a retozar
si oye el maíz del sabucán.

Que le da,
la muchachita más bonita
de mi lindo mayab.
Que le ofrece,
la mestiza
de sonrisa dulce y sin igual.

Dame un taquito de cochinita,
que rico está.
Con su chilito y su naranjita,
que rico está.

Tiene morcilla y pajarilla,
que rico está.

Dame lomitos, rabitos y *kex k'as tak'an*
qué rico *x-k'astakanes*.

Pobre *xlechita*, ya no brincará,
brincará.
Pobre *xlechita*, ya no dormirá,
dormirá.
Pobre *xlechita*, la van a matar,
a matar.
y en pibil se la van a almorzar.

Pobre *xlechita*, la van a matar,
a matar,
y en pibil se la van a almorzar,
se la van a almorzar, además.

Copla
Las muchachas de hoy en día
son como la longaniza;
apenitas ven al novio:
"Mamacita, voy a misa".[245]

La Sanmarqueña, México, D.F., 1963

LA PUERQUITA PINTA[248]

Aguascalientes, 1930

Yo tenía una puerca pinta
que un amigo me vendió;
tan amigo me salió
que en dos reales me la dio.

Estribillo
Cochicochi china china
cui, cui, cui, cui.

Las pestañas de mi puerca
parecían unas balacarrias;
desde lejos se le veían:
parecían agujas de arria.

Cochicochi china...

Los ojitos de mi puerca
ya se le estaban secando;

desde lejos se le veían
como la luna llorando.

Cochicochi china...

L'espinazo de mi puerca
se lo di a la vida mía;
de tan sabroso que estaba
hasta los huesos lambía.

Cochicochi china...

Del cuerito de mi puerca
hice muchos chicharrones;
los comieron mis paisanos,
reventando por tragones.

Cochicochi china...

El rabito de mi puerca
era todo un movimiento;
y dispénsenme, señores,
que si no la echo, reviento.

Cochicochi china...

La manteca de mi puerca,
la vendí para un bailecito,
y a dos pesos kilo
la pagó 'ñor Pascualito.

PURAS LANAS[247]

Guanajuato

Yo tenía un borrego gordo
y no lo quería vender;
y un amigo ya me daba
quinientos pesos por él.

Los cuernos se los quité;
hice peinetas muy finas,
y a peso me las pagaban
toditas las catrinas.

La lana se la quité
y me fui para Dolores;
saqué doscientas cobijas
y quinientos cobertores.

Las patas no las guisé;
las dejé para escabeche,
y un amigo las cambió
por ocho jarras de leche.

El menudo lo guisé
y me fui pa' Guanajuato;
allá lo estuve vendiendo
a quince pesos el plato.

La cola era tan grande
como todos lo verán:
que la pusieron de puente
en Barranca de Beltrán.

Pudiera seguir contando
lo que saqué a mi borrega,
pero temo que me digan:
"¡Ya no pega, ya no pega!"

Con ésta ya me despido
por el cerro Palanganas:
aquí se acaban cantando
los versos de "*Puras lanas*"

UN GATO CAYÓ EN UN PLATO[248]

1985

Un gato cayó en un plato,
sus tripas se hicieron pan,
su cola se hizo fideo,
su panza quedó de flan.

Intérpretes: Los Hermanos Rincón

Existe otra versión más antigua:

Un gato cayó en un plato,
sus tripas se hicieron pan.
Arrepote, pote, pote,
arrepote, pote, pan.[249]

LA PUNTADA[250]

Antonio Escobar, 1966

Para qué me sirve el vino,
si no logro aborrecerte;
todo se me va en quererte:
¡qué maldito es mi destino!

La puntada que tuviste,
te ha de arder toda la vida,
porque llevo aquí una herida
que alevosamente abriste.

¡Qué puntada te alcanzaste,
pérfida mujer!
Nunca te creí capaz
cambiar de parecer.

¡Qué puntada te alcanzaste,
pérfida mujer,
al dejarme abandonado
todo mi querer!

Eres linda, eres bonita,
lástima que seas tan loca;
eres como las campanas,
todos llegan y te tocan.

Hoy que estoy entristecido,
hoy que estoy bocabajiado,
sólo estoy arrepentido
de no haberte madrugado.

Para mí la pulpa es pecho
y espinazo la cadera;
si se larga con cualquiera,
que les haga buen provecho.

Ten en cuenta, bien de mi alma,
que hay un dicho muy certero:
toda mula descarriada
vuelve al fin al bebedero.

PICADILLO

Coplas
Ese barrio de San Pedro
es chiquito y muy bonito,
donde siembran la verdura,
muy buena pa' el picadillo.[251]

Uruapan, Michoacán,
1921-1923

Tate quieto, pingorongo,
no te dé pena por eso;
estáte como te pongo:
chupando el tuétano al güeso.[252]

Tabasco,
1916

Señora, yo soy muy pobre,
muy pobre, pero orgulloso:
y soy como el espinazo:
pelado pero sabroso.[253]

Si para comer tasajo
tengo que chingar el lomo,
chingue su madre el lomo,
y mejor no como.[254]

Oaxaca, Oaxaca,
1964

Bomba arriba,
bomba abajo,
mi pareja
huele a tasajo.[255]

Bomba, Mérida, Yucatán,
1968

De los dos que andan bailando
Dios bendiga su hermosura:
el uno parece tasajo
y el otro parece asadura.[256]

De los tres que vienen ahí (frag. Michoacán)

De los dos que andan bailando
Dios bendiga su hermosura:

uno parece chorizo
y otro parece asadura.[257]

La Sanmarqueña
Zamora, Michoacán, 1963

Las aves

—Iremos contigo —dijéronle los muchachos—, y si hay pájaros en el camino les tiraremos con nuestras cerbatanas.

Sólo con el soplo de las cerbatanas, sin usar bodoques, caían los pájaros, de lo cual se maravillaba Cab Rakán. Siendo hora, pararon, sacaron fuego y se pusieron a asar los pájaros untándole tierra blanca a uno. Al dar vuelta a los asadores chorreaba la manteca y salía el olor y su fragancia, por lo que a Cab Rakán se le hacía agua la boca y le destilaba baba del deseo de comer aquellos pájaros. Le dieron el pájaro que estaba untado de tierra y él se lo comió para su destrucción y ruina.

Popol Wuj (frag.)[258]

POLLITO CON PAPAS[259]

Manuel Eduardo, 1989

Estribillo

Pollito con papas,
pollito con papas,
pollito con papas,
pollito con papas.

Ponga usté mesera ya,
una pierna por aquí,
otra pierna por allá,
y si tú quieres, si tú quieres
papas, muchas papas.

Pollito con papas...

¡Ay! de las piezas del pollo
no cualquier pieza me gusta;
a mí me encantan las piernas
y si tú quieres, si tú quieres
papas, muchas papas.

Pollito con papas...

Mi novia sabe que a mí,
a mí me encanta el pollito.
Ella preparar la cena,
y si tú quieres, si tú quieres
papas, muchas papas.

Pollito con papas...

Intérpretes: Los Vázkez Tropical

Copla
Me enamoré de una muchacha
que se llamaba Cristina,
tanto me fue a querer,
que metíase a la cocina,
para darme de cenar
cinco piernas de gallina.[260]

Acatlán, Puebla

DALE CALABAZA AL POLLO[261]

Juan Formel

¡Y dale calabaza a tu pollo, mami,
pa' que crezca como un buey!
¡Vámonos!

Estribillo
Dale calabaza al pollo, que
si no, no te gusta un pollo bueno.
Échale la yuca entera, que
si no, no te queda bueno, ¡ey!

Dale calabaza al pollo, que...

Yo tengo un pollo que me quiero comer aquí,
¡ah, sí!, me lo quiero comer, ¡muy bien!
No sé si hacerlo asado, en sopa, postre y café.
Pollito, a mí cómo me gusta.
Fíjate, compadre, no le puede faltar.

Dale calabaza al pollo, que...

Un pollo grande que sea del tamaño de un buey,
ése me lo quiero comer también.
No te preocupes que por uno se va a perder,
aquí yo lo voy a esperar.
Fíjate, compadre, no le puede faltar.

Dale calabaza al pollo, que...

¡Y cómo está creciendo tu pollito, mami!
Dale más calabaza, más, ¡más!

Dale calabaza al pollo, que...

Vamos a ver si tiene el pollo que le he encarga'o.
Okey, ya te dije que estoy aquí,
esta mañana si tú vienes yo te daré.
¡Qué va!, yo no quiero comer.
Fíjate, compadre, no le puede faltar.

Dale calabaza al pollo, que...

Intérpretes: Los Flamers, pop

LOS POLLOS[262]

Veracruz, 1965

Los pollitos, pío, pío,
se los lleva el gavilán
y la gallina diciendo:
"¡Ah, qué maldito animal
todo se lo está comiendo!"

Estribillo
¡Alza, Lázaro Patricio!,
tu sombrero ya voló;
por el aire va diciendo
que tu amor ya se acabó.

¡Alza, Lázaro Patricio!
tu sombrero va volando;
por el aire va diciendo
que tu amor se está acabando.

A los pollos les aviso
que caminen con cuidado,
que les voy a hacer un guiso
de pollos en estofado.

¡Alza, Lázaro Patricio...

Salen los pollos corriendo
por la puerta de la reja,
y la gallina diciendo:
"¡Qué maldita comadreja,
todo me lo está comiendo!"

¡Alza Lázaro Patricio...

A los pollos les aviso
que salgan de dos en dos
porque van a hacer un guiso
de pollito con arroz.

¡Alza, Lázaro Patricio...

A los pollos le están dando
alimento de crecer
para irlos rostizando
y podérselos comer

Son jarocho

PA' FRICASÉ, LOS POLLOS[263]

Pablo Cairo

Estribillo
¡Ay!, ¡qué bueno' están los pollos!
¡Ay!, pa' fricasé.

La carne casi ya no me gusta
ni de filete para bistec,
el gallo bolo que tengo en casa
de cas'e Juana me lo robé.

¡Ay!, ¡qué bueno' están los pollos!...

Allá en el patio, con mi gallina
y tenga todo para comer,
gallina vieja no tiene caldo,
yo quiero un pollo, ya tú lo ves.

¡Ay!, ¡qué bueno' están los pollos!...

Yo no te pido carne de pavo,
sólo un pollito pa' fricasé.
Yo quiero un pollo que esté gordito
de la colonia de San José.

Yo quiero un pollo
pa' fricasé;
un pollo bueno,
pa' fricasé.

Intérpretes: La Sonora Matancera

Coplas

Las palomas son blancas
y el campo es verde.
El que las anda cuidando
siempre se duerme.
—¿Coyotito, a dónde vas?
—A la tienda de San Nicolás.
—¿A qué vas?
—A comer pollito asado.
—¿No me das?
—No

—Comerás patada,
comerás patada.[264]

El guajolote, has de ver,
sirve al hombre a doble pico:
igual le da de comer
que le despepita el chico.[265]

Me subí a un palo hueco,
pa' devisar para caco.
Échenme, que estoy culeco,
y a las dos semanas saco
un pato y un patuleco
y de paso un chachalaco.[266]

El Querreque
Tamazunchale, S.L.P.

Yo soy la patera
que viene a rogar
el pato cocido
que ayer fui a agarrar.

La Patera[267]
Muñeira

PATO A LA OLLA[268]

Carlos Guerra

Ya va a amanecer,
los gallos están cantando.
Hay que resolver,
la fiesta está terminando.

El sancocho aquel que
prometió la señora Luisa,
no lo van a hacer
y el pato está muriendo de risa.

Ésta es una broma, camará,
que yo no la paso, no señor.
A mí me cobraron por bailar
un sancocho pato, cómo no.
Oiga mi compai,
tenemos que resolver.

Estribillo
Zumba que zumba
pato a la olla.
Zumba que zumba
pan y cebolla.
Zumba que zumba
pato a la olla.
Zumba que zumba
zúmbalo ya.

Intérpretes: Los Gatos Negros

EL COCO[269]

Veracruz

Dicen que el coco es bueno.
Guisan con especia fina.
Guisan con especia fina.
Dicen que el coco es muy bueno.

Pero yo digo que no:
es más buena la gallina,
es más buena la gallina,
pero yo digo que no.

Coco, te quise rendido,
coco, te adoré constante.
Coco, vuelen pajarillos,
coco, vuelen vigilantes.
Coco, si la piedra es dura,
coco, tú eres un diamante,
coco, donde no ha podido,
coco, mi amor ablandarte.
Coco, si te hago un cariño,
coco, me haces un desprecio,
coco, y luego me dices,
coco, que mi amor es necio.

Coco, te quise rendido...

Versión del Grupo Medellín de Lino Chávez
Son jarocho

Otras coplas de "El coco" con tema gastronómico documentados en *CFM,* todas procedentes de Alvarado, Veracruz:[270]

Dicen que el coco es muy bueno,
guisado y allá en Perote,
pero yo digo que no:
que es más bueno el guajolote.

Dicen que el coco es muy bueno,
guisado en especia de agua,
y yo digo que es mentira:
que es más buena la chachagua.

Coco de la caña dulce,
coco de la caña hueca,
déjame tomarla,
que quiero beberla.

Coco de la caña dulce,
coco de la caña brava,
déjame tomarla;
es el aguamiel,
coco de mi vida,
coco de la Lerma.

No seas inconstante;
si la piedra es dura,
tú eres un diamante;
prueba la pimienta,
quédate al picante.

Los pescados y mariscos

Copla

Mañana me voy al Istmo,
y me voy con gran razón;
ahí no me muero de hambre,
con cinco de totopo
y cinco de camarón.[271]

Copla de Lotería "El camarón"
Oaxaca, Oaxaca

CAMARÓN PELA'O[272]

Juan Morales, Guerrero

Tú me pides camarón
y yo te lo voy a dar.
Yo te quiero, corazón,
por ti lo voy a pescar.

Allí tengo mi piragua,
muy cerquita del palmar.
Pronto voy a estar en agua
para ponerme a pescar.

Estribillo
Camarón pela'o tú quieres
camarón pela'o te doy,
camarón pela'o prefieres
con salsita y con limón. (Se repite)

Cuando vamos pa' la playa
llevo mi botella 'e ron,
también llevo mi guitarra
pa' alegrar el corazón
Allí tengo mi piragua,
muy cerquita del palmar.
Pronto voy a estar en agua
para ponerme a pescar.

Camarón pela'o tú quieres...

Tú me pides camarón...

(Se repite todo)

Intérpretes: Los Flamers
Tropical

LA LANGOSTA[273]
1990

Estribillo
Estaba langosta
en su salsa

y no me la comí
porque estaba muy salá.

El gobierno mexicano
dice que va progresando;
es el pueblo el que le grita:
ya no te la estés jalando.

Estaba langosta...

Una cosa les deseo
a los charros sindicales:
que el dinero que nos roban
se les vaya en mejorales.

Estaba langosta...

Una perra y un perrito
ahora viven muy felices;
pensar que se conocieron
oliéndose las narices

Estaba langosta...

Versión de Los Nakos

Copla
De Veracruz a Alvarado
tengo andada la región;
se come muy buen pescado,
es muy sabroso el ostión;
también se come guisado
de jaiba y de camarón.[274]

El Siquisirí
Veracruz, 1965

LAGUNA DEL OSTIÓN[275]

Pajapan, Veracruz

Aquí vivimos,
en este pueblo
que nos dejaron
nuestros abuelos.

Tenemos ríos
y manantiales
que salen allá
arriba del cerro.

Estamos cerca
de la laguna,
donde hay cangrejos,
también ostiones,
existen pescados

y otros muchos,
más cangrejitos.

Se hallan mangles
y pajarales
que vuelan
en medio de la laguna,
buscando peces,
y camarones,
ya por la tarde,
buscan sus nidos.

Versión de Isidro Martínez Lorenzo
Son jarocho

OSTIONES ALVARADEÑOS[276]

Veraruz, 1963

Ostiones alvaradeños
los que vengo aquí a cantar,
a un precio más que barato
casi vengo a regalar.

Traigo camarones frescos,
un robalo regular
pa' guisarle a la italiana
con pulpo y calamar.

Estribillo
Pero que sean de Alvarado,

tierra de ensoñación,
donde se pesca la jaiba,
el robalo y el ostión.

Y si usted quiere sentirse
con la fuerza de un Sansón,
mande al instante servirle
una docena de ostión.

Y si usted se siente malo
de fiebre o de sarampión,
pida que le den robalo
o tortas de camarón.

Pero que sean de Alvarado...

Alvarado, tierra linda,
sueño de la ensoñación,
donde se pesca el robalo,
la jaiba y el camarón.

Copla

Ya me voy pa' la Quebrada
a matar un tiburón,
para que coma Padilla
con su cuate Castejón.[277]

La sanmarqueña

LOS JUILES[278]

Jesús Arismendi Duarte
San Pedrito, Mpio. Soteapan, Veracruz

Cuando el pescador empieza
a dar golpes con el remo,
salen los indios diciendo:
juiles son los que queremos

El viejo anciano
con su violín,
con la barba blanca,
me dijo así:
esos juiles
no son para mí;
son para mi china,
que los va a freír.

Cuando me voy a pescar
estando la luna en llena,
antes de tirarme al mar
le pido a Dios, por mi pena
que me libre de escuchar
el canto de la sirena.

Cuando el pescador empieza
a dar golpes en la altura,
salen los indios diciendo:
juiles, robalo y tortuga,
juiles, robalo y tortuga,
ésos sí que los queremos.

Por esa calle derecha
se tiene para almorzar,
zopilotes en conserva,
lagartijas en pipián,
lagartijas en pipián,
por esa calle derecha
se tiene para almorzar.

En punto del medio día,
almorzar fui a un restaurante
y le pedí de mi parte
carne asada en la parrilla.
Me dieron guiso de mantequilla
acompañado de camarón
y una docena de ostión,
y me dieron un vaso de atole;
me sirvieron rico mole
antes que nadie acabara,
yo me comí de pasada
otro plato de pozole.

Pero ya que andaba lejos
para echarme otro caldito
me pasé por el Tomito*
a comerme otro cangrejo
y un asado de pellejo
en la mesa me lo puso
y antes de que —si alguien supo—
me fui hasta la madrugada,

* Afamado restaurante del sur de Veracruz.

pero no me comí nada
porque era la mitad de un tuzo.

Son Jarocho

LA TORTUGA 1[279]

D.P. Oaxaca

Atención, todos van a escuchar,
la triste historia voy a cantar,
de la tortuga que un día fue al mar,
puso sus huevos en un costal;
de la tortuga que un día fue al mar,
puso sus huevos en un costal.

Y fue el mareño, los fue a traer,
los fue a vender hasta Ixtlatepec.
Y fue el mareño, los fue a traer,
los fue a vender hasta Ixtlatepec.

Atención, todos vengan a oír,
la triste historia voy a seguir,
vivi gugüini tan sicarun
marusin pañaca me que tapun.
Vivi gugüini tan sicarun
marusin pañaca me que tapun.

Los mareñitos con su costal
a la laguna van a pescar,

para traer, para llevar.
Ay, tortuguitas del arenal,
para traer, para llevar.
Ay, tortuguitas del arenal.

Mareña linda de mi cantar,
¿por qué me matas con tu mirar?
Tú eres hermosa cual una flor,
mareña linda de fiel amor.

Tus ojos brillan como el zafir
y por mirarlos quiero vivir,
tus labios rojos como el coral
brindarles quiero flor de rosal.

Vivi gugüini tan sicarun
marusin pañaca me que tapun.
Vivi gugüini tan sicarun
marusin pañaca me que tapun.

Canción oaxaqueña

LA TORTUGA 2[280]

Tehuantepec, Oaxaca

Atención, todos para escuchar,
la triste historia voy a cantar
de una tortuga que un día fatal
quiso su suerte pasar muy mal.

¡Ay, ay!, tortuga del arenal
que a poner saliste del mar;
los mareños con su costal
ya te esperan con ansia tal
para sacar, para llevar
todos tus huevos en un costal;
porque cocidos no más con sal
ni cascarones han de tirar.

En vano, amigo, quise ocultar
a la tortuga del grave mal,
la pobrecita en un costal
se muere ahogada, se ha de enredar.

Los mareñitos al pasar
vieron a este pobre animal,
y lo agarraron para llevar
a su gran banquete nupcial.

Uno con su modo de hablar
le dice al otro: "*Tabor, tabor*
Treitu [*sic*] tortugo voy agarrar;
para mi esposa voy a cazar".

¡Ay, ay!, tortuga del arenal
que a poner saliste del mar;
los mareños con su costal
ya te esperan con ansia tal
para sacar, para llevar
todos tus huevos en un costal;
porque cocidos no más con sal
ni cascarones han de tirar.

LA CARNE DEL CHOPÓNTIL[281]

"Vale" Bejarano, Veracruz

Cuéntase que estando el Vale en una ranchería cercana a Tlacotalpan, llamada Los Juiles, vio llegar a un señor de nombre Santiago Sosa, con dos tenates averos y un canasto llenos de un tipo de tortuga conocida en la región como "chopóntil", la cual —según consejas de la gente— tiene fama de que su consumo es muy afrodisiaco, de manera que se le vino a la mente expresarle a un pariente de don Juan Malpica Mimendi esta sextilla en octasílabo:

Llegó don Santiago Sosa
avecindarse a Los Juiles,
pobrecita de su esposa,
qué arrempujones... más viles,
porque es muy alimentosa
la carne del "chopontile".

LA CAHUAMA[282]

La Paz, Baja California, 1933

Nosotras somos las cahuamas
que ustedes van a saborear;
tenemos pecho y caparacho,
y no se nos podrá negar.

Si acaso ustedes lo dudaren,
los invitamos a pasar,
y pueden sí, muy bien, tentarnos,
pero no más sin abusar.

Estribillo
Aquí está, aquí está
la cahuama haciendo "cua".

Yo enamoré a una mujer
que se llamaba Consuelo;
tanto me llegó a querer,
que guardaba mucho anhelo
y me daba de comer
pura tortuga con pelo.

El Siquisirí[283]
Alvarado y Tlacotalpan, Veracruz

Yo le pedí a una mujer
que me amara como a Dios;
tanto me llegó a querer
que a su casa me llevó
y me convidó a comer
tortuga pinta en arroz.[284]

Arcadio Hidalgo
Minatitlán, Veracruz

LA PEJELAGARTA[285]

Ana Isabel Olas Sánchez
Tabasco, 1974

Vámonos al mercado,
vámonos a comprar
una pejelagarta
con epazote
pa' hacer tamal. (*4 veces*)

Vamos al mercado,
vamos a comprar
ricos tamalitos
para merendar.

Merequetengue

EL PEJELAGARTO[288]

Vicente González Pérez, 1984

Les voy a invitar, señores,
el mejor vuelve a la vida,
lo comen los pescadores
porque es pura vitamina.

Se llama Pejelagarto
por su cara y sus facciones

mi negra lo come tanto
porque tiene sus razones.

Estribillo
Lo come hasta mi mama,
lo come hasta mi papa,
lo come el negrito Juan
y el viejito don Ramón.

Lo come don Filemón
con salsita y con limón,
y se disfruta mejor
con una botella de ron.

Pejelagarto pa' almorzar por la mañana;
pejelagarto pa' comer y de botana;
pejelagarto al levantarse de la cama;
pejelagarto es la comida soberana.

Lo come hasta mi mama...

LA ALMONEDA[287]

México, D.F., 1950

Sacaron a vender una escopeta
sin cañón, sin culata y sin baqueta;
la compró el padre Filiberto
para matar los ratones del convento.

Sacaron a vender luego una silla
sin patas, sin respaldo y sin rejilla;
la compró el padre Filiberto
para sentar a las monjas del convento.

Sacaron a vender una sardina
sin carne, sin cola y sin espinas;
la compró el padre Filiberto
para los días de vigilia en el convento.

Sacaron a vender unos calzones
sin tela, sin pretina y sin botones;
los compró el padre Filiberto
para los días de verano en el convento.

TE COMISTES EL PESCADO[288]

Te comistes el pescado,
me dejaste las espinas,
¿cómo quieres que te compre
zapatos de seda fina?

Los niños y niñas de los poblados rurales, al oscurecer, cantan en forma dialogada la copla anterior dispuestos en dos filas, una frente a otra y con movimientos de avance y retroceso.

Juego infantil

Coplas
La suerte me dio algo,
feo pero orgulloso;
yo soy como el bacalao:
salado pero sabroso.[289]

Cogí un hermoso jonote,
grande sin comparación;
me comí un pedazo en moste
de ese grande animalón.[290]

Glosada en décimas
Tuxtepec, Oaxaca,
1933

EL JOROBANTE[291]

1930

En la esquina de provincia
mataron a un jorobado,
y en la joroba tenía
doce cargas de pescado.

En el río de los naranjos
mataron a un jorobante,
y en la joroba tenía
diez arrobas de picante.
Jorobita, tipitante,
que pareces elefante.

Cocina regional

EL FERROCARRIL[292]

Ángel Rabanal

Hablado
Si vas por ferrocarril, para saber donde estás, observa sobre el pretil, te fijas en lo que gritan y al instante lo sabrás.

Cantado
Cuando el tren va corriendo
como quien se va de lao,
y oyes hablar de los guajes,
es que llegaste a Silao.

Y si el tren se para pronto
y se te acerca un chamaco
gritando: "Vendo frijoles",
es que estás en Apizaco.

Estribillo
Ya el garrote se rompió
y ya el tren se cuatrapeó.

Cuando griten: "palanqueta",
es que llegaste a Pachuca,
y si te ofertan chorizo,
es que ya andas por Toluca.

Si te ofrecen floripondio,
es que has ido a Zacatlán,
y si ves que algo te avientan,
ya llegaste a Culiacán.

Ya el garrote se rompió...

Cuando te brinden cocoles,
no dudes que es Irapuato,
y si ves algunas momias,
estarás en Guanajuato.

Y si en el tren te peleas,
y por esa tontería
del tren te quieren sacar,
ya llegaste a Lechería.

Ya el garrote se rompió...

Cuando te den enchiladas,
es que estás en Tlalpujahua,
y si te venden un perro,
cuídate, que es de Chihuahua.

Mas si ves que el tren de pronto
frena su carrera loca,
te fijas y si hay blanquillos,
es que estás en Huehuetoca.

Ya el garrote se rompió...

Intérprete: Óscar Chávez
Corrido

LAS TRES HUASTECAS[293]

Nicandro Castillo

Para hablar de la Huasteca
hay que haber nacido allá:
saborear la carne seca
con traguito de mezcal,
fumar cigarrito de hojas,
prenderlo con pedernal;
aquel que mejor lo moja,
más largo lo fumará.

Esa Huasteca,
quién sabe lo que tendrá:
el que una vez la conoce,
regresa y se queda allá.

Huastecas lindas,
cómo las voy a olvidar,
si nací con su querencia
y nací con su cantar.

La Huasteca Potosina
tiene flores de a montón,
tierras llenas de neblina
y laderas de ilusión.

En la Huasteca Hidalguense
no se alquila el corazón
y al que diga "usted dispense",
no amanece en su colchón.

Huasteca Veracruzana
que se arrulla con el mar,
que canta con las montañas
y se duerme en su palmar,
que lanza toros ladinos
corriendo por el breñal,
mientras lloran los violines
huapangueando su corral.

Son huasteco

SAN LUIS POTOSÍ[294]

San Luis Potosí, S.L.P.

Entre cerros siempre azules
    y rodeado de pirules,
    ¡qué lindo se ve San Luis!

Me parece nacimiento
    cuando alegre yo me siento
    a *devisarte* feliz.

Es fortuna entre fortunas
    prebar tus sabrosas tunas,
    coralitos de nopal;
pero más me *cuadra* el ponche
    encarnao de tu chocolate
    y un buen trago de mezcal.

Las muchachas potosinas
  son como las golosinas,
  se antojan al paladar;
más dulces que la melcocha,
  ¡aguamiel y la panocha!,
  ¿quién no las ha de adorar?

Por eso te quiero tanto,
  tierra de amores y encanto,
  desde que te conocí;
pues no hay como tus prietitas,
  tu aguamiel y tus tunitas;
  ¡chulo San Luis Potosí!

SAN SIMÓN[295]

Santa Ana de Allende, Hidalgo, 1967

En San Simón de pasada
amarillo hay que tomar,
también una trucha asada,
pa' poderla saborear,
allá por la madrugada
cuando cantan "El llorar".
Ay la la la, ay la la la.

Recuerdo a Tepehuacán
y su fiesta tan hermosa,
donde se baila "El caimán"
y de la vida se goza;

hasta las penas se van
cuando cantan la tal "Rosa".
Ay la la la, ay la la la.

Voy a cantarle a Zipatla,
a Tamán y Cortázar,
a las Tres Marías las santas,
a la sierra y su faisán;
alegres las aves cantan
cuando les silba el faisán.
Ay la la la, ay la la la.

Son huasteco moderno

EL HIDALGUENSE[298]

Nicandro Castillo

Una flor que no sea seca
y que su aroma convence,
es mi querida Huasteca,
esa Huasteca Hidalguense.

Bajo un sol que abrasa tanto
se baila y se canta el son,
los tordos ríen en su canto
diciendo, date un quemón.

Le han cantado a Veracruz,
a Jalisco y Tamaulipas,

con gusto le canto a Hidalgo
que tiene cosas bonitas.

Pachuca, la Bella Airosa,
de mi tierra es capital,
de quien yo vivo orgulloso
por su rico Mineral.

Pa' mujeres, Tulancingo,
lo mismo en Zacualtipán
hay unas coloraditas
que hasta calentura dan.

Es tan linda mi Huasteca
y más lindo es saborear
zacahuil y carne seca
con pemoles del lugar.

Enchiladas con bocoles,
las truchas qué buenas son,
no hay mejor que mi Huasteca
para darse un buen quemón.

Huapango

EL QUELITE Y EL CHIPILE[297]

Anónimo

Mecayapan, Veracruz

Voy a cantarle a mi pueblo Mecayapan,
pueblo nahua del estado de Veracruz;

les menciono en estas líneas su alimento;
mi canto como indígena que me nutre.

El alimento del indígena nahua:
sus milpas de flores amarillas de chipile,
moradas sus hojas de quelite en los maizales,
sabrosos, hervidos y en mole.

En tierra, accidentados o planos
están ubicadas las milpas y sus cultivos;
por las mañanas los rayos del sol
todo le da brillo y color.

Hombres, mujeres y niños que al campo van,
desmontando los acahuales para el tapachol,
entre los surcos grano a grano van sembrando;
termina el día se nota cansancio en el cuerpo.

Son las mujeres madres de la tierra;
quelites y chipiles cocidos en la milpa sabrosos son;
es orgullo y costumbre de mi tierra,
con limón y chilpaya se come mejor.

Su fiesta patronal Santiago Jacobo Caballero;
sus visitantes: nahuas, zoque popolucas y mestizos,
que veneran al patrón del pueblo
entre oraciones, promesas, rezos, cantos y velorios.

Se almuerza quelite, frijol, tamalitos y koachiles;
ofrecimientos a visitantes en la fiesta:

en la cena tamalitos de chipile con chiles molidos,
y todos contentos se encuentran.

Canción tradicional acompañada de guitarra y acordeón.

Copla
Valladolid gran Sací,
todo lo tuyo es muy bueno:
tu Xtabentún y el relleno
de Cay-cutz y jabalí.[298]

Bomba
Mérida, Yucatán

PIBINAL Y ATOLE NUEVO[299]

Rubén Darío Herrera

En mi pueblo vender *xix* de cebo,
y la gente que está en la cumbre,
y a los indios como de costumbre
pibinal y atole nuevo.

Nunca digan de esta agua no bebo.
Los políticos ejidatarios
ofreciendo piñata y salario,
pibinal y atole nuevo.

A mi suegra la llevo a la fiesta
y la siento a la sombra del ceibo,

y le doy para que se refresca
pibinal y atole nuevo.

San Antonio bendito, te debo
una misa cantada y rezada,
mas no me olvido de darle a mi amada
pibinal y atole nuevo.

Bomba
Desde que te vi venir, mi vida,
dijo mi corazón:
qué bonita piedrecita
para darse un tropezón.

Bomba en maya
Ka tin wil a taale' in kuk óolal
in puksi'ikale' tu ya'alaj:
ila' buka'aj ki'ichpanil le tuunich
ti' al ka t'oochpajakena'.

SOY DE PURITO JALISCO[300]

Jalisco

Soy de purito Jalisco
y no lo puedo negar,
de Los Altos de Jalisco,
nacido en Tepatitlán.

Donde se come aquel pozole
de trompa y lengua que es un placer,

donde expresan sus canciones
el amor de una mujer.

En los paseos de Chapala,
donde nos vamos a pasear,
cantando dulces canciones
con tapatías a bailar.

Habanera
De fino pulque me aviento un jarro,
de fino pulque, blanco licor;
ven, que te espera tu amante charro
que aquí está loco por ti de amor,
y así juntitos siempre andaremos
y cantaremos nuestra canción.

Con enchiladas y barbacoa,
y en las canoas nos pasearemos,
y comeremos los pescaditos
y la cerveza de buen sabor,
calientes gordas con chile verde
con que podamos aquí almorzar.

¡Viva Jalisco, que nunca pierde!
¡Viva su gente, que sabe amar!

LA TAPATÍA[301]

Julio Haro

En Guadalajara fue,
en Guadalajara fue donde

yo me enamoré,
donde yo me enamoré.

La conocí en la Central,
comprando un virote descomunal.
Por la Calzada yo me fui,
siguiendo sus pasos me perdí.
En San Juan de Dios la encontré
y en el mercado me la ligué;
la agarré de la cintura
y le dije con dulzura:
"deme un besito siquiera
ándele; no sea ranchera".

Le compré un par de huaraches
pa' que brincara los baches,
un collar de tejocotes
que hacía juego a sus ojotes,
le disparé los pepinos
y luego luego nos fuimos.
En la Plaza Tapatía
nos siguió la polecía,
nos metimos al Hospicio
a ponerle a nuestro vicio.

Nos subimos al par vial,
visitamos catedral;
la pasié por todo el centro,
nos clavamos muy adentro;
vimos bicis, vimos motos
y, en la calle, muchos jotos;
caminamos por la Juárez

rumbo al Cine Variedades.
Nos dimos un toquecito
y se le abrió el apetito.

La llevé a unos antojitos,
le brillaron los ojitos;
se comió cuatro tostadas,
ocho sopes, un pozole,
tres tamales con atole
y diez estrellitas heladas,
allí fue donde me dijo:
"¿Sabes qué quisiera, m'ijo?,
que antes de que yo me vaya
comprarme una jericalla".

En Guadalajara fue,
en Guadalajara fue donde
yo me enamoré,
donde yo me enamoré.

Intérpretes: El Personal
Rock guapachoso

CHAPALA[302]

Pepe Guízar

Redes, redes que tienen
los pescadores en la laguna;
redes que en noches de luna

son como encajes de oscuridad
en el manglar.

Noches, noches de luna en Chapala,
canción de pescadores,
rumor de las olas que vienen y van.

Chapala, son tus canoas
como un cortejo de fantasía,
cargadas todas las tardes
de mangos verdes y de sandías.

Chapala, eres paisaje
para las almas enamoradas,
enjambre de charalitos
pescados ahora de madrugada.

Por Ocotlán sale el sol,
por Tizapán sale la luna,
y poco a poco la marea
va subiendo en la laguna.

Chapala, rinconcito de amor,
donde las almas pueden hablarse
de tú con Dios.

La luna ya se ocultó
y se durmió en la laguna.

CORRIDO DE URUAPAN[303]

Uruapan, Michoacán, 1921-1923

Paraíso de Michoacán,
¿por qué eres tan engreidor?
¿Será por las guaricitas
que tienes alrededor?

Amigo, vamos a Uruapan
y verás qué bonito es;
de la Quinta para abajo
allí está el mundo al revés.

Esa entrada de la Quinta,
el pasar por allí es preciso,
a ir donde nace el agua
de ese río de Cupatitzio.

Ese barrio de Santiago
se ve bonito en la altura;
allí todas las muchachas
son buenas pa' la pintura.

Ese barrio de San Pedro
es chiquito y muy bonito;
donde siembran la verdura
muy buena pa'l picadillo.

Ese barrio de San Juan,
donde subsiste el panteón;

allí hay bóvedas y losas
que hasta duele el corazón.

Por esa calle del Eiba,
yendo pa' la Trinidad,
en ese barrio mentado
no se encuentra falsedad.

En el puente Cupatitzio
trabajan los arrestados;
los fabriqueños a un lado,
jugando albures cortados.

Vamos, pues, a dar la vuelta,
al barrio de la Magdalena;
vamos con gusto y contento
que allá vive mi morena.

El barrio de San Francisco,
barrio de la polvareda;
en la esquina de Leonardo
se encuentra la borrachera.

Ese barrio San Miguel,
pasando por la Canoa Alta,
en ese barrio lucido
no más dinero nos falta.

Barrio de San Juan quemado,
barrio de las pulquerías;
cuando suben los de la hebra
no les van a pedir frías.

Ya con ésta me despido,
no sé si les gustarán;
aquí se acaban cantando
los versos de Michoacán.

CHIPILITOS[304]

Baltazar Antonio Velasco García
Guerrero, 1988

Me gusta la yerba santa
que a las comidas le da sabor,
pero más me gustas tú,
trigueña de mi ilusión;
más sabrosa que el cilantro,
la yerbabuena y el cando.

En el borbollón, mi vida,
del agua fría te conocí,
al llegar casi a las juntas
de ti yo me prendí.
Cerca de los siete pozos,
cariño mío, mi amor te di.

Estribillo
Y la hoja de yucucata
sin duda alguna da comezón,
para el barrio de Yusaca
y el otro de Chimiñú.
Para el barrio del Zapote
y de las Flores va mi canción.

Pinotepa, Pinotepa,
no me quisiera yo retirar,
algún día volveré a ver
los tejorones en carnaval,
comer cangrejos playeros
y los chipiles con chile y sal.

Chilena

NARANJERA[307]

Baltazar Antonio Velasco García, Guerrero, 1988

Pinotepa de Don Luis,
qué bellas son tus mujeres; *(bis)*
de tu suelo es la trigueña
que me robó mis quereres.

Las pochotas que te adornan
y tu tradición no muere *(bis)*.
Lupita hace el pan de pico
y fabrica el pozaguanco; *(bis)*
apenas se cubre el pecho
con ese huipil tan blanco.

Naranjera, si me quieres,
ya no me hagas sufrir tanto. *(bis)*

Andando yo por tus montes
me encontré una chiquiyuma, *(bis)*

y no la pude cortar
porque andaba yo bien jumba,
pues probé de tu aguardiente
pa' que nadie me presuma. *(bis)*

Pinotepa de Don Luis,
te he compuesto esta chilena, *(bis)*
que la canten tus bohemios
y la baile mi trigueña.

Ya me despido cantando
bajo luz de luna llena. *(bis)*

Chilena

NOXTEPEC[306]

Noxtepec, Guerrero

Pueblito lindo Noxtepec, a donde yo nací,
donde los días de mi existencia más felices yo viví;
con tus duraznos dulces yo me enamoré de ti,
con tus sabrosas chirimoyas y tu dulce capulín.

Estribillo
¡Ay, ay, ay, ay! ¡Quiero reír, quiero llorar!
¡Ay, ay, ay, ay! Siento en mi pecho una emoción
y en la garganta una bolita, ¡qué caray!
y siento que se me deshace el corazón.
Eres hermoso desde Los Huizaches hasta la Cruz de Misión,
por eso siempre siempre yo te llevaré dentro del corazón.

Pueblito lindo, Noxtepec, a donde yo nací,
donde la leche de las chivas y las vacas yo bebí;
donde los días de mi niñez contento yo viví,
yo a ti te canto mis canciones acordándome de ti.

¡Ay, ay, ay, ay! ¡Quiero reír...

Los chapulistles de Aguazarca y los Guayabos son,
con Capultitla, los lugares donde más me diverí,
y El Campamento que está juntito de tu panteón,
todo es hermoso, Noxtepec, lo que hay en derredor de ti.

¡Ay, ay, ay, ay! ¡Quiero reír...

POR LOS CAMINOS DE CHIAPAS[307]

Efraín Calderón R., Chiapas

Chiapaneco soy, señores;
soy de origen lacandón,
y tratándose de amores
soy purito corazón.

Yo he nacido en Pichucalco
y en Unión Juárez me crié,
y en el mero Tapachula
la primera flor corté.

Y desde Arriaga a Talismán
con tazcalante comercié,

jocote y nanchi
y algo más de la región.

Y cuando estuve en Comitán,
con comiteco me encueté
y con el queso de Ocosingo,
botanié.

Una joven muy bonita
conocí por Huehuetán,
y en el mero Motozintla
nos volvimos a encontrar.

Le traté cosas de amores
y me contestó que sí,
desde entonces es la novia
que yo quiero para mí.

Para tamal de chipilín
en Tonalá se hace mejor,
como el arroz con camarón
en Paredón.

Y de lugares pa' pasear
están Palenque y Bonampak.
Total que Chiapas para mí
no tiene igual.

Marimba

COMITÁN DE MIS AMORES[308]

Esteban Alfonzo
Chiapas

Comitán de mis amores,
por doquier que voy andando,
pueblito de mis amores,
siempre te ando recordando.

En Comitán encontramos
el sabroso guachiful,
y hasta un toro nos comemos
en las sabrosas hambritas.

En Comitán nos tomamos
el sabroso guachiful,
y con él nos transportamos
hasta la bella Estambul.

Marimba

CHICHIMÁ[311]

Marta Dolores Albores, Chiapas, 1983

No sé por qué esta noche tu recuerdo
me está llenando el alma, Chichimá;
será porque viví allí horas muy bellas,
o porque hace ya mucho tiempo que te vi.

Tu arroyito pequeño en cuyas aguas inútilmente
intentábamos pescar; la noria, misteriosa, con su pequeña
puerta y su enorme brocal, y el tanque de aguas claras
invitando al baño matinal.

Después en la casona, con su pequeño patio,
glorieta y barandal, los camisones rojos
secándose al sol, los petates tendidos
y cubiertos por planchado mantel.

Sentados en el suelo haciendo rueda,
comiendo tan felices tradicional chorizo,
longanizas, frijoles, pellizcadas, quesadillas,
Y caliente café de jarro y con panela.

Platicar a la sombra del mambimbo,
y enlazar en burdos corazones traspasados,
las iniciales de dos enamorados,
y perpetuar en troncos y cortezas ese sublime amor.

Celebrar los cumpleaños con corona de flores.
reja, confeti y alegres mañanitas,
y preparar veladas literarias, disfraces,
actuaciones voluntarias, risas y aplausos a porfía.

Y en las noches sentir tanta alegría,
juegos de prendas, barajas, loterías,
guitarras, serenatas con canciones,
y el amor, el amor que iba y venía.

Todo quietud, después todos dormían
en tendales de juncia los colchones,

las bromas, los secretos cuchicheos,
dormir después, para esperar el nuevo día.

Año con año era la temporada,
se preparaba el tizte, el chocolate,
las mistelas, curtidos, tortas de sabroso pan,
y reservar el cuarto y la cocina, y volverse a encontrar.

Felices temporadas, años lejanos de mi juventud, todo pasó
y se fue; muchos también se fueron,
pero esta noche tu recuerdo,
me está llenando el alma Chichimá.

MI GLORIOSO GUANAJUATO[310]

Benjamín Sánchez Mota

Yo traigo de Guanajuato
su gusto y sus tradiciones,
y busco el amor ingrato
que rompe mil corazones;
lo bueno es pasar el rato
entre tequila y canciones.

Dime ¿por qué es tanto el brete
si en mi tierra todo tienes?
Un Cristo en el Cubilete
con un laurel en sus sienes,
y el glorioso Negrete,
a José Alfredo Jiménez.

San Luis tiene su bravura,
Querécuaro, hembras bonitas;
en mi Celaya, dulzura,
y en Moroleón, sus carnitas;
en Irapuato, hermosura
y el Héroe de Granaditas.

Petróleo en mi Salamanca,
guayabas en Salvatierra,
las uvas en Tierra Blanca,
Dolores tiene su sierra;
es de Silao mi potranca
y es Abasolo mi tierra.

Yuriria tiene su lago,
Acámbaro su violencia;
en Cortázar hay un trago
y aquí en Santiago, Tendencia; [?]
en mero Pénjamo, Hidalgo,
padre de la Independencia.

Mi despedida es con calma
y en Romita estoy al rato;
mi San Miguel me reclama,
San Francisco y Uriangato,
y grito con toda mi alma:
¡qué viva León, Guanajuato!

EL QUERETANITO[311]

Antonio Hernández Martínez, 1956

Yo soy un queretanito,
la tierra de los camotes,
donde se usan los fandangos
sin alardes ni mitotes;
no le temo a los chiquitos
ni tampoco a los grandotes.

En Tequisquiapan, canastas;
en Cadereyta, metates;
de San Juan del Río, las reatas;
del Pueblito, jitomates;
de Hércules y La Cañada,
los mejores aguacates.

Estribillo
¡Ay, reata, no te revientes,
que eres de San Juan del Río!
Sí, yo soy un rancherito
de los que usan el patio,
que hablándome al derechito
a nadie le tengo frío.

Del Cerro del Cimatorio
se divisa todo el plan:
de la Cruz hasta Santa Ana,
San Roque y San Sebastián.

¡Ay, reata, no te revientes...

El Cerro de las Campanas,
orgullo del queretano,
donde Don Benito Juárez,
con las leyes en la mano,
ahí le tostó las habas
al pobre Maximiliano.

BONITO SAN JUAN DEL RÍO 1[312]

Villa de Juárez, Durango, 1931

Paloma, ¿de dónde vienes?
Vengo de San Juan del Río.
Cobíjame con tus alas,
que ya me muero de frío.

Si fuera tinta, corriera;
si fuera papel, volara;
si fuera estampilla de oro,
en ese sobre me fuera.

Los higos y los duraznos
en el árbol se maduran,
y los ojitos que quieren
desde lejos se saludan.

En Guaymas tengo una rosa,
en Hermosillo, un clavel
y en la estación del Rosario
tengo todo mi querer.

Cuando naranjas, naranjas;
cuando limones, limones;
chatita, cuando te bañas
muy tres piedras que te pones.

Bonito San Juan del Río,
¿por qué eres tan engreidor?
Será por tanta muchacha
que tienes alrededor.

Cuando pases por el puente
no bebas agua del río,
ni dejes amor pendiente
como tú dejaste el mío.

Cuando pases por el río
no bebas agua en botella,
ni dejes amor pendiente
como tú dejaste el de ella.

BONITO SAN JUAN DEL RÍO 2[313]

1931

Volaron cuatro palomas
del trigo pa' la cebada;
volaron de rama en rama
para la Sierra Mojada.

Eres alta y delgadita,
y así como eres te quiero;
pareces amapolita
cortada en el mes de enero.

—Paloma, ¿de dónde vienes?
—Vengo de San Juan del Río.
—Cobíjame con tus alas,
que ya me muero de frío.

En una mesa te puse
un plato con tres anonas;
con otros habrás jugado,
pero conmigo te amolas.

En una mesa te puse
un plato con tres sandías;
con otros habrás jugado,
pero conmigo te espinas.

Si fuera papel, volara;
si fuera tinta, corriera,
y si fuera yo estampilla
en ese sobre me fuera.

CHINA POBLANA[314]

Pepe Guízar

China, china poblana,
china poblana que bordas tu enagua

de luz y rojo;
lindo el rebozo, negras las trenzas
que peinas con moños de fino listón,
de fino listón tricolor.

China, china de Puebla,
con tus collares de cintas y piedras
quisiera enredar mi cantar;
China, china que sabes, china que sabes
bailar el jarabe, canción nacional.

Talavera de la Reina
es el símbolo de Puebla;
ay, qué chulos sus jarrones
y el mosaico en los balcones
tiene alma de convento.

Puebla de los mil y un templos,
tu semblanza es la del tiempo
y el ario de tu catedral.

Ay, qué chula, qué rechula,
qué rechula es Cholula,
y mero arriba en el cerro
la Virgen de los Remedios.

Pa'l que es charro de a deveras
y quiera lucir espuelas,
las espuelas que más suenan
son las que se hacen en Amozoc.

Pa' bastones Apizaco;
pa' cazuelas tu mercado;
Tenancingo pa' rebozos;
pa' sabrosos tus camotes;
pa'l mole de guajolote,
mole verde o colorado,
el ajonjolí regado
y un curado almendrado nomás.

XOXOCOTLA[315]

Arturo Orea López, Morelos, 1978

Los rayos del sol
calientan la arena
de las callecitas
de esta linda tierra.

Por ellas transitan
las lindas marías
con sus pies descalzos,
en la espalda el chiquihuite.

Llevan mole verde
con carne de gallina,
tamales de frijol
envueltos en hoja de milpa.

La-la-ra-ra-ra-ra-ra
La-la-ra-ra-ra-ra-ra
La-la-ra-ra-ra-ra-ra...

Xoxocotla, pueblito morelense,
Puente de Ixtla orgullosa está de ti
por tus hombres y mujeres que progresan
y se destacan haciéndote feliz.

Xoxocotla, lugar de ciruelos agrios,
tus costumbres son las mismas de ayer;
en tus fiestas de ocho de septiembre
el día del indio que forman parte de tu ser.

Te invitamos mexicano a que conozcas
Xoxocotla, la más linda población,
y te lleves de todos sus habitantes
lo más sagrado que es su corazón.

Xoxocotla, pueblito...

Vals folklórico

A MORELOS[316]

Arturo Orea López, Morelos, 1989

Cuando venga a Morelos
derechito llegue a Tepoztlán;
conozca el Tepozteco,
el convento de ese lugar.

A las lagunas de Zempoala
queda invitado a almorzar,
con carnitas de Tres Cumbres
y pulque de Huitzilac. [*2 veces*]

Distrito de Cuernavaca,
rinconcito de admiración
que esa virgen tan milagrosa
de Tlaltenango te dé su bendición.

Temixco, también Zapata,
al municipio de Jiutepec,
a los toros en las fiestas
cada año asistiré. [*2 veces*]

A los toros en las fiestas
cada año asisti... ré.

Pasodoble

A MI LINDO ZAPOTITLÁN[317]

Guadalupe Noriega Martínez,
México, D.F., 1994

Aquí vengo a cantarle a mi pueblo,
a Santiago mi tierra natal;
aquí vengo a cantarle a mi gente,
a mi lindo Zapotitlán.

Aquí vengo a cantarle a mi pueblo
y su feria de luz musical,
y al Señor de las Misericordias
con el alma le vengo a rezar.

¡Ay, mi lindo Zapotitlán!
¡Ay, mi Tlacpocan! ¡Mi Zihuatlampa!
¡Ay, mi Santiago! ¡Ay, mi Santa Ana!
Imperio Mexica que el fuego aquí guarda.

¡Ay, mi lindo Zapotitlán!
¡Ay, mi Santiago! ¡Ay, mi Santa Ana!
Mixaltepec de los zapotes;
¡qué fresquecitas son tus mañanas!

¡Ay, mi lindo Zapotitlán!,
son tus mujeres como las flores
cuando se ponen a carcajear,
son un romance de ruiseñores.

Y tus comidas hay que probar;
son tus tamales con tus frijoles
manjar de dioses —es nuestra herencia—
con tus tlapiques y ricos moles.

Aquí vengo a cantarle a mi pueblo,
donde guardo yo mis tradiciones;
yo lo arrullo al son de un mariachi,
entonándole bellas canciones.

Que se bañe mi cielo de estrellas
y se vista la luz de color,

que esta noche es noche de fiesta
y a Zapotitlán le canto yo.

Intérprete: Javier Martínez

LA ESQUINA DE MI BARRIO[318]

Salvador Flores Rivera

En la esquina de mi barrio hay una tienda
que se llama "La Ilusión del Porvenir",
junto a ella está la fonda de Rosenda
que en domingo le echa al mole ajonjolí.

Frente se halla la botica "La Aspirina",
donde surte sus recetas mi 'amá;
tiene junto la cantina "Mi Oficina",
donde cura sus dolencias mi 'apá,
y le sigue "La Mejor", carnicería
donde vende el aguayón don Baltazar.

Es la esquina de mi barrio, compañeros,
un lugar de movimiento sin igual;
los camiones, los transeúntes y los perros
no la cruzan sin tener dificultad.

Cuando no ha habido moquetes, hubo heridos,
o algún zonzo que el camión ya lo embarró;
otras veces sólo hay gritos y chiflidos,
o se escucha el cilindrero trovador.

Contraesquina donde está la pulquería,
hay un puesto de tripitas en hervor;
ahí, afuera, siempre está la policía,
y ahí tiene su cuartel el cargador.

De este lado vende pan "La Cucaracha"
y le siguen las persianas del billar;
"El Tarife" ya paró ahí su carcacha
porque llega con sus cuates a jugar;
Don Fernando va siguiendo a una muchacha,
y Lupita, su mujer, ahí va detrás.

Es la esquina de mi barrio, compañeros,
el lugar donde he perdido mi querer;
donde ayer brilló un farol como un lucero,
lo rompieron y se echaron a correr.

Y la esquina me consuela en mi amargura,
con su risa, su bullicio y su esplendor;
llega el carro recogiendo la basura
y entre tanto desperdicio va mi amor.

Ranchera lenta

MI MÉXICO DE AYER[319]

Salvador Flores Rivera

I

Una indita muy chula
tenía su anafre en la banqueta;

su comal negro y limpio
freía tamales en la manteca
y gorditas de masa,
piloncillo y canela...
al salir de mi casa
compraba un quinto
para la escuela.

Por la tarde, a las calles
sacaban mesas limpias viejitas,
nos vendían sus natillas
y arroz de leche en sus cazuelitas,
rica capirotada,
tejocotes en miel
y en la noche un atole
tan champurrado
que ya no hay de él.

Estribillo
Estas cosas hermosas,
porque así yo las vi,
ya no están en mi tierra,
ya no están más aquí.

Hoy mi México es bello
como nunca lo fue,
pero cuando era niño
tenía mi México un no sé qué.

II

Empedradas sus calles,
eran tranquilas, bellas y quietas;
los pregones rasgaban
el aire limpio, vendían cubetas,
tierra pa' las macetas,
la melcocha, la miel,
chichicuilotes vivos,
mezcal en penca
y el aguamiel.

Al pasar los soldados
salía la gente a mirar inquieta,
hasta el tren de mulitas se detenía
oyendo la trompeta,
las calandrias paraban,
sólo el viejito fiel
que vendía azucarillos
improvisaba
el verso aquél:

"Azucarillos de a medio, de a real,
para los niños qui queran mercar".

Estas cosas hermosas...

VINO LA REFORMA[320]

Salvador Flores Rivera

Vino la Reforma, vino la Reforma,
vino la Reforma a Peralvillo;
ora sí, Las Lomas, ya semos vecinos,
¡ya sabrás, mamón, lo que es bolillo!

Vino la Reforma, vino la Reforma,
ya está aquí trotando El Caballito;
ojalá a las milpas llegue la reforma
para que haiga forma de sembrar el maiz.
Aquí el que no marcha es porque no se forma
porque aquí hay reforma par, todo el pais.

Dijo Colón: —Yo ya, Colón,
he descubierto que en Tepito hay buen pulmón;
Cuauhtémoc fue, ¡qué mal le fue!,
hasta la lanza le robaron, ¡oiga asté!

Ángel no es, Ángela sí es
lo que se quiere allá en la aduana establecer,
y si la Diana viene, aquí ropa tiene
pa' que no se apene de vivir a raiz;
si Bolívar forma, ¡venga más reforma!,
porque aquí hay reforma para todo el pais.

Vino la Reforma, vino la Reforma,
vino la Reforma a Peralvillo.
Ora sí el curado ya se toma helado,
el *high-ball* se toma en estanquillo.

Vino la Reforma, vino la Reforma,
ya sabrán Las Lomas de los tacos
de cachete y bofe para que haiga roce,
pa' que los de la alta sepan ya vivir,
aquí no hay gladiolas, coronas ni rosas,
sólo tripa gorda que nos manda el PRI.

Corrido

LOS PASEOS DE SANTA ANITA[321]

Felipe Flores

Recuerden mis cuatezones
los paseos de Santa Anita;
y ese Viernes de Dolores
que cada año nos visita;
con mi corona de flores
yo voy con mi chaparrita.

Estribillo
¡Ay, Madre de los Dolores!,
tú me has de acompañar;
voy a traerte tus flores
para venirte a rezar;
cuídame en mi canoíta,
que no me vaya yo a ahogar.

Qué hermoso es el panorama
que en este día se presenta;

van las damitas en el agua
como los cisnes contentos,
cantando con sus fifís
al son de sus instrumentos.

¡Ay, Madre de los Dolores!...

¡Ay, qué sabrosos romeros!,
qué bueno está el guajolote;
toma, mi chata, otros fierros,
vamos a entrarle al pulcote;
al cabo cada año es eso:
hay que hacer nuestro borlote.

¡Ay, Madre de los Dolores!...

Con mi vestido de charro
y mi chatita del brazo,
para mí la pulpa es pecho
y cadera el espinazo;
aquí me sobra otro peso:
lo que es ora me emborracho.

¡Ay, Madre de los Dolores...

Ya con ésta me despido,
cantando con mi guitarra;
yo soy afecto a Cupido
y me voy con mi chaparra;
el hombre que quiere mucho
sólo del diablo se agarra.

¡Ay, Madre de los Dolores!...

Adiós, pues, mis cuatezones,
adiós, mis pulques curados;
ya me mojé los calzones;
ya me voy avergonzado,
hasta el año venidero
si no estoy adifuntado.

¡Ay, Madre de los Dolores!...

Y échale agua, cielo viejo,
pa' que nazcan magueyitos;
no le hace que nazcan ciegos,
con que nazcan borrachitos;
ya viene el estado seco;
hay que echar otros traguitos.

¡Ay, Madre de los Dolores!...

Adiós, paseos primorosos
de Jamaica a Santa Anita;
ya nos paseamos gustosos
entonando "La casita";
que el hombre que es paseador
sólo mi Dios se lo quita.

Cocina internacional

CARA DE PIZZA[322]

La Cuca, 1994

Es una cara, ¡no!,
es una pizza, ¡no!,
¡es la señorita cara de pizza!
Dicen que su madre, durante el embarazo
se comió diez pizzas de un chingadazo,
y andan diciendo que es una mutante,
a mí no me interesa, yo quiero ser su amante.

Estribillo
Señorita cara de pizza, yo te amo, cara de pizza,
¡eres un amor!

Tiene un corazón que es la envidia de cualquiera,
yo la adoraría hasta el día que se muriera,
ella es una belleza, ella sí tiene cabeza,
ella sí que me apasiona, ella es buena persona,
ella sí se ve sabrosa,
yo quiero que sea mi esposa.

Señorita cara de pizza...

Es como apreciar una obra de arte,
Picasso la tendría como único estandarte;
quiero estirarle sus cachetes de queso

en su boquita de pimiento;
yo quiero darle un beso;
yo la adoraría de cualquier manera,
con mariscos en la cara, ¡a la marinera!

Señorita cara de pizza...

Ahora voy a verla y voy bien alimentado,
no vaya a pasar lo que le pasó aquel día pasado:
llegué con mucha hambre, le chingué una rebanada,
espero me perdone y no me mande a la chingada.

Señorita cara de pizza...

Rock

BULDOG BLUS[323]

Jaime López, 1987

Siguiendo mi rastro ladraba un buldog,
mascando mis huellas se las devoró;
sudando y jadeando llegué al comedor,
por pura venganza me comí un jocdog.

Rastreando a mi cuate la tira ladró;
cuando era estudiante fue aquel apañón;
mi amigo, enemigo de la corrupción,
de puro coraje ora es senador.

En 68 todos saben que
sólo hubo olimpiadas, recuérdenlo bien;
medalla de oro para el pelotón;
la razia de bronce la sangre regó.

Me meto a la cama queriendo comer;
mi esposa en un plato me trae su brasier;
enciende la tele que hoy hay futbol,
entre campeonatos el tiempo pasó.

Y en 88, sexenios después,
saltando a la cancha va el PRI otra vez,
elige y elige que aún hay votación,
también granaderos... sólo es precaución

Siguiendo mi rastro ladraba un buldog,
mascando mis huellas se las devoró;
sudando y jadeando llegué al comedor,
por pura venganza me comí un jocdog
en Burguerboy.

Intérprete: Cecilia Toussaint

TÚ TE IMAGINAS[324]

Monroy-Villa-Díaz, 1993

Tú te imaginas
a todo el mundo boca abajo,
andando con las manos,
con el sombrero en los pies.

Tú te imaginas una ballena
con pelo largo,
tocando en la guitarra
una canción de los Rolling Stones.
Sólo tienes que pensar,
con la mente lograrás
que las cosas sean así,
muy divertidas para ti.
Con tu imaginación
y apretando la nariz,
esto puede ser verdad
y te puede hacer feliz.
Eres feliz cuando consigues
que tu mente
sea feliz, aunque te caiga el sarampión.
Eres feliz...
Tú te imaginas
una hamburguesa que te saluda,
te da los buenos días
y sonriendo te dice adiós.
Tú te imaginas
una piscina de espagetis
con mucho tomate habrá bastante
para los dos.

Sólo tienes que pensar...

Intérpretes: Grupo Menudo

Olla podrida

GUACARROCK DE LA MALINCHE[325]

Botellita de Jerez

Chulada de maíz prieto,
cuánta pena a mí me da,
¿Qué, te apena ser morena?
Triste güera oxigenada,
dizque rubia superior.
Me relleva la tostada,
ya cambiaste el molcajete
por licuadora broche.

Estribillo
Pinche Malinche:
lo Cortés no quita lo Cuauhtémoc.
Mira, pinche Malinche:
lo Cortés no quita lo Cuauhtémoc.

Yo no soy de aquí, no soy de allá.
Tú ni de allá ni de acá,
ni pichas ni cachas
ni dejas batear.

Te caerá la maldición
del buen dios Tescatlipunk.
Aunque la mona se pinte de güera,
mona se queda.

Pinche...

Con mi cara de nahual,
de nopal sin rasurar.
Nariz de chile relleno,
'toy orgulloso, que conste:
yo soy la Raza de Bronce
Si lo mexicano es naco
y lo mexicano es chido,
entonces, ¡verdad de Dios:
todo lo naco es chido.

Pinche...

Guacarrock

Copla

A la rueda de la patata,
comeremos ensalada,
lo que comen los señores:
naranjitas y limones.
¡Alupé, alupé,
sentadita me quedé![328]

Los niños giran en rueda y, al decir el último verso, se sientan todos (o se agachan).

LA BRUJA A[327]

Valentín y Gilda Rincón, 1980

Es una bruja,
buena la A,
muchas palabras
sabe formar.

Con su varita
de encantar,
fíjate bien
qué trucos hará.

Abracadabra
que venga la A,
para que el sol
se vuelva sal.

Y por la magia
de la A,
hasta la col
se vuelve cal.

Abra la boca,
ábrala ya,
para que salga
esta vocal.

Y que la lupa
se vuelva lapa,

y que la pipa
se vuelva papa.

Que sin la A
no puedes cantar,
pedir auxilio
ni agua ni pan.

Que sin la A
no puedes llamar
a tu papá
ni a tu mamá.

Porque es una bruja
buena la A,
abracadabra
que venga la A.

Que es una amiga
sabia y fiel,
igualitita
a la torre Eiffel.

Intérpretes: Los Hermanos Rincón

LA I[328]

Valentín y Gilda Rincón, 1980

Un tallo de salsifí
es la raya de la I
semilla de ajonjolí
es el punto de la i.

Dibuja rayas,
ponle sus puntos,
que formarán íes
cuando van juntos.

Ponle su punto
a cada i,
agujeritos
de berbiquí.

Un palo de pirulí
es la raya de la i,
ojito de colibrí
es el punto de la i.

Ponle dos íes
a colibrí,
ponle su acento
a la última i.

Ponle su punto
a cada i,

con una s
dice que sí.

Un palo de pirulí...

Intérpretes: Los Hermanos Rincón

EL CATETO[329]

Distrito Federal, 1910

Estribillo
Yo me quiero divertir
en La Habana,
con tu hermana
en la población.

Árboles de la alameda,
que en la punta tienen flores,
no les pusieron colores
porque se acabaron en la tlapalería.

Yo me quiero divertir...

Árboles de la alameda,
que en la punta tienen flores,
¡cuándo tendré una peseta
pa' comprar cajeta de Celaya?

Yo me quiero divertir...

En la punta de aquel cerro
tengo un nopal sembrado;
déjalo que se madure,
y comeremos chicharrón. [*sic*]

Yo me quiero divertir...

En el puerto de Tampico
mataron a un perico,
y de adentro le sacaron
un gendarme con un pito.

Yo me quiero divertir...

En el puerto de Tampico
mataron a un guajolote,
y de adentro le sacaron
un gendarme con garrote.

Yo me quiero divertir...

En el puerto de Tampico
me asaltaron los ladrones,
y del susto que me dieron
se me cayó una chancla.

LA VOLTERETA[330]

Carlos Aceves, Guanajuato, 1939

Voy a cantar un corrido,
corrido de la vacilada,
de esos que lo dicen todo,
pero no dicen nada;
y no te aflijas, chinita,
que vuelvo a la madrugada.

Qué le he de hacer
si no te he de ver;
no vas a creer
que voy a volver,
si dando la voltereta
me encuentro alguna mujer.

Todos dicen que tus ojos
parecen dos capulines;
a mí me parecen moras
de noche y a todas horas,
y no me acerco contigo:
se me hace que no le atoras.

Mañana cuando amanezca
te espero entre los nopales;
allí te daré mi adiós,
que me voy para Nogales,
donde todos los soldados
nos volvemos generales.

Siempre que yo vengo a verte
me encuentro con que has salido:
pájaro que alza su vuelo
casi siempre vuelve herido;
y yo jamás te pregunto:
"chinita, ¿dónde te has ido?"

He de volver en mi cuaco
con mi sarape en la silla;
espero que tú me encuentres
con chile en unas tortillas,
hechas todas enchiladas
y un poco de marranilla.

No más que no te me rajes,
porque soy de los malvados,
y cuando andaba con Villa
era yo de sus Dorados,
y no me andes con tanteadas
porque doy de puñaladas.

Aquí se acabó el corrido,
ya me voy para Nogales,
donde se venden las habas
a cuatro por cinco reales,
donde nos morimos todos
o volvemos generales.

Canción ranchera con rasgos de corrido

Los dulces y los postres

Coplas
Sin duda que tu padre
fue un buen dulcero,
pues te hizo los labios (vida mía)
de caramelo[331]

México, D.F.

Cuando vayas por la calle
y te encuentres una lata,
acuérdate de los dulces
que le debes a Doña Cata.[332]

Sonora,
1966

BOMBÓN I[333]

Francisco Gabilondo Soler

Hubo un rey en un castillo
con murallas de membrillo,
con sus patios de almendrita
y sus torres de turrón.

Era un rey de chocolate
con nariz de cacahuate,
y a pesar de ser tan dulce
tenía amargo el corazón.

La princesa Caramelo
no quería vivir con él,
pues al rey, en vez de pelo,
le brotaba pura miel.

Aquel rey al ver su suerte
comenzó a llorar tan fuerte,
que al llorar, tiró el castillo
y un merengue lo aplastó.

En los bosques del castillo
han sembrado un gran barquillo
y lo riegan tempranito
con refresco de limón.

En el lago, la cascada
es de azúcar granulada,
y el arroyo, en vez de piedras,
va arrastrando colación.

La princesa Caramelo,
a su paje Pirulí
lo mandó con el monarca
a decir, por fin, que sí.

El Marqués de Piloncillo,
mayordomo del castillo,

lo ha limpiado con la lengua
para que se case el rey.

Coplas

Las morenas son muy dulces,
más dulces que un caramelo,
y yo, como soy goloso,
por una morena me muero.[334]

Costa Chica, Oaxaca

Traigo mi canasta
llena de confites;
te quedaste sola
porque tú quisites.[335]

Guadalajara, Jalisco

SUSANITA TIENE UN RATÓN[336]

Rafael Pérez Botija, 1980

Susanita tiene un ratón,
un ratón chiquitín,
y come mazapanes, turrón
y gomitas de anís.

Duerme cerca del radiador
con la almohada en los pies,

y sueña que se vuelve campeón
jugando ajedrez.

Le gusta el cine, la tele y el teatro,
baila salsa y rock 'n' roll,
y si llegamos y ve que lo observamos
siempre nos canta esta canción.

Susanita tiene un ratón...

LAS NEGRITAS DE CHOCOLATE[337]

Valentín y Gilda Rincón, 1977

Empacadas en celofán,
las negritas de chocolate
presiden el escaparate
entre cajas de mazapán.

Llevan corpiño azucarado
y breve pandellín de tul,
y sobre su chongo rizado
un airoso listón azul.

Lisa y brillante la chinela
y muchos pliegues en la enagua,
verlas y hacerse la boca agua
de su cacao y su canela.

Pero al comerse, las embarga,
de ver su ropa, tanta pena,
que entre su dulzura morena
se filtra cierta gota amarga.

Las negritas de chocolate
que sonríen a las niñas buenas,
blancas, negritas o morenas,
entre el turrón y el membrillate.

Intérpretes: Los Hermanos Rincón

EL SHERIFF DE CHOCOLATE[338]

Ciro Paniagua

En un pueblo de bombón
el sheriff de chocolate
cargaba su pistolón
con balas de cacahuate.

La cárcel donde encerraba
a los dulces pandilleros
era de ricas galletas
con rejas de caramelo.

En una fiesta de chicles
el sheriff fue provocado
por un paletón grandote
que a todos había insultado.

Y el sheriff de chocolate
no aguantó tantos insultos
y le dio cacahuatazos
que de verlo daba gusto.

Y el sheriff de chocolate
recibió muchos aplausos
de dos chicles e invitados
que olvidaron pronto el susto.

En un pueblo de bombón
esta historia sucedió,
en un pueblo de bombón,
por eso la canto yo.

Intérpretes: Bronco
Merequetengue

SABES A CHOCOLATE[339]

Villa y Monroy, 1985

Quema tu piel con ese rayo de sol;
pinta tu cuerpo con un bello color,
bombón.
Cuerpo caliente a la orilla del mar,
pasa la gente y te quiere mirar,
bombón.
Sabes a chocolate, sabes a chocolate.
Si beso, te beso, te quiero a besar.

No sé que pasa y te quiero besar;
música rock y yo te quiero besar,
bombón.
Cerca de ti yo sólo quiero bailar;
quiero la orquesta se ponga a tocar,
bombón.

Sabes a chocolate, sabes a chocolate.

Intérpretes: Menudo

BESITOS DE CHOCOLATE[340]

Ramón Flores Campos, 1980

Estribillo
Besitos de chocolate,
besitos de rica miel,
besitos de cacahuate
rellenos de fresa y nuez.

Si quieres unos besitos
sabrosos, yo te daré,
tú dime de qué los quieres
y pronto te besaré.

Yo tengo un rico surtido
de fresa, vainilla y nuez,
mis exquisitos besos
con gusto yo te daré.

Besitos de chocolate...

Si quieres unos besitos
sabrosos, yo te daré,
tú dime de qué los quieres
y pronto te besaré.

Intérprete: Katy
Corrido

BESITO DE COCO[341]

Ismael Rivera, 1975

Estribillo
Besito pa' ti, canela,
besito pa' ti,
besito de coco, negra,
canela y anís.

Yo tengo un coco, coquito,
para los pollitos;
bien sabrosito, negrita,
aperpachadito y rico.

Besito pa' ti, canela...

Con una vez que lo pruebes,
eso bastará;

son tan sabrosos que tú volverás,
mi negra, a probar mi coco.

Besito pa' ti, canela...

Si tú me quieres, te quiero,
si tú me adoras, te adoro,
mi guisado de coco
con pollito se enamoró.

Besito pa' ti, canela...

Cómprame tú, caserita,
no lo dejes pa' mañana;
si tú lo dejas para luego,
a lo mejor ya no vuelvo.

Besito pa' ti, canela...

Yo tengo un coco, coquito,
para los pollitos;
bien sabrosito, negrita,
aperpachadito y rico.

Intérpretes: La Sonora Matancera

PULPA DE TAMARINDO[342]

Paco Chacona

Estribillo
Pulpa de tamarindo, ¡eh!
pulpa de tamarindo,
pulpa de tamarindo,
sabrosa pulpa de tamarindo.

Así
es el sabor de tus besos,
ese sabor agridulce
que tiene tu boca;
sabor que provoca;
sabor que enloquece
de amor tropical.

Así
me pasaría la vida
entre la miel de tus labios,
como una gaviota
que está prisionera
con las alas rotas,
sin poder volar.

Pulpa de tamarindo...

Así
es el color de tus ojos,
es el color de misterio
sereno y tranquilo

que a ratos despide
destellos de luna y de mar.

Así
me pasaría la vida,
con tu mirada hechizada,
como una gaviota
que está prisionera
con las alas rotas
sin poder volar.

Intérprete: Celia Cruz

SI TU BOQUITA[343]

(Derechos de autor reservados), 1993

Si tu boquita fuera
de chocolate,
si tu boquita fuera
de chocolate,
yo me la pasaría
bate que bate,
yo me la pasaría
bate que bate,
bate que bate,
de chocolate.

Si tu boquita fuera
de limón verde,

si tu boquita fuera
de limón verde,
yo me la pasaría
muerde que muerde,
yo me la pasaría
muerde que muerde,
muerde que muerde
de limón verde,
bate que bate,
de chocolate.

Si tu boquita fuera
de pan de azúcar,
si tu boquita fuera
de pan de azúcar,
yo me la pasaría
chupa que chupa,
yo me la pasaría
chupa que chupa.

Chupa que chupa,
de pan de azúcar,
muerde que muerde
de limón verde,
bate que bate,
de chocolate.

Si tu boquita fuera
de pay de fresa,
si tu boquita fuera
de pay de fresa,

yo me la pasaría
besa que besa.

Besa que besa,
de pay de fresa,
chupa que chupa,
de pan de azúcar,
muerde que muerde
de limón verde,
bate que bate,
de chocolate.

Intérpretes: Banda R-15
Corrido

BOQUITA AZUCARADA[344]

Ignacio Fernández Esperón, 1982

Una cosa quiero decirte
pa' que te fijes un poco en mí,
ya que yo me paso la vida
piensa que piensa tan sólo en ti.

Que tengo hambre de tu boquita
que sabe a azúcar, que sabe a miel,
tu boquita que sabe a gloria
y sobre todo que sabe a ti.

Boquita azucarada
cuando me dices cosas,
boquita azucarada
con caña fresca recién cortá,
boquita azucarada
cuando te beso tanto
me da a gustar la miel,
la deliciosa mielecita de tu amor.

Boquita azucarada
como fruta morena,
boquita azucarada
con el sabor del cañaveral,
boquita azucarada
a más le causas penas,
boquita azucarada
suspira con mi canción.

Intérprete: Tata Nacho
Rumba

EL CHICLE[345]

Rodolfo Olivares, 1995

La música estaba buena,
sentí ganas de bailar,
como no tenía pareja
tendido me fui a buscar.

Estaba una morenota,
qué más no podía pedir,
le dije: bailas conmigo,
por suerte dijo que sí.

Cuando íbamos a la pista
algo raro noté yo:
había un chicle en el piso
y en el zapato se me pegó;
había un chicle en el piso
y en el zapato se me pegó.

Estribillo
El chicle se me pegó,
el chicle se me pegó,
quise lucirme bailando
y el paso no me salió.

El chicle se me pegó...

La banda seguía tocando
y yo no sabía qué hacer,
el chicle se me pegaba
y no podía bailar bien.

La chica me dijo entonces:
si acaso se siente mal,
por mí no tenga cuidado,
mejor me voy a sentar.

La suerte que a veces tengo,
esa noche me falló,

y por causa de ese chicle
la morenota se me agüitó,
y por causa de ese chicle
la morenota se me agüitó.

El chicle se me pegó...

Intérpretes: Fito Olivares y La Pura Sabrosura

CHICLES[346]

David Hevia, Jacobo Liberman, Rita Guerrero, 1992

Oye, tía, tía, tía, tía, tía.
tu monedero
tu monedero
es azul como de metal,
es azul de metal,
es azul de metal.

Tía, tía, tía, tía, tía,
tus manos largas dicen:
compra chicles,
quiero chicles,
chicles, chicles, chicles,
chicles, chicles, chicles,
chicles, chicles, chicles,
chicles, chicles, chicles,
un él, él, él, él, él, él, él,
un él o aún más,

un él,
un helado de chicle.

Intérpretes: Santa Sabina
Rock

CHICLE DE AMOR[347]

Villa y Monroy, 1984

Cuando te toqué
sentí la vibración,
¡oh!, del amor.
Goma de mascar
tus dientes blancos son,
menta y coral.
Si te acercas tanto,
falta el aire y tengo miedo;
yo no soy un santo,
me muero, me muero, me muero.

Estribillo
Pruébalo, qué sensación,
muérdelo, rico sabor.
se pegó entre tú y yo:
chicle de amor.

Pruébalo qué sensación... (*se repite*)

En la física, la bomba ya
explotó,
bomba de amor,
qué romántico, un beso de color
es lo mejor.
Y ahora ya no siento
ni la tela de mi camisa,
siento como viento,
me muero, me muero, me muero.

Pruébalo, qué sensación...

Intérpretes: Menudo

CANICAS[348]

Rockdrigo González, 1987

Esta historia que les voy a relatar
es de un hombre rico que tenía lo que quería;
mas ese hombre rico tenía una afición:
eran las canicas que serían su perdición.

Tenía muchas canicas de muchos colores,
grandes, medianas, cayucos y balines;
también tenía agüitas y ojos de gato,
y una que otra de barro para no discriminar

Un día en que él estaba jugando a las canicas,
ganó el partido y se puso muy contento;

tan contento estaba que las quiso probar,
un cayuco, un balín y una agüita agarró

Y se las tragó,
sí, y se tapó,
y se murió,
y todo por comer canicas.

Si también a ti te gustan las canicas,
y algún día tienes ganas de probarlas,
ve a la tienda de la esquina y compra muchos chicles,
chicles de bola y masca hasta cansarte;
pero nunca vayas a comer
canicas, canicas, canicas,
canicas, canicas, canicas.

Canción rock

EL METRO[349]

Café Tacuba

Me metí en un vagón del Metro
y no he podido salir de aquí.
Llevo tres o cuatro meses
viviendo en el subsuelo.
Zócalo, Hidalgo, Chabacano,
he cruzado un millón de veces.
He querido salir por la puerta
pero siempre hay alguien que empuja

para adentro.
Y cuando en las noches pienso yo en ti,
sé que tú te acuerdas de mí,
pero aquí atrapado en este vagón
no sé si volveré a salir.
Como pastillas, paletones, chocolates,
chicles y salvavidas.
Tengo ya seis juegos de agujas,
ocho cúters y encendedores (de sobra).
Creo que me ha crecido ya
el pelo, con la barba y las arrugas.
No sé cuándo es de noche y de día,
no sé si llevo cien años aquí dentro.
Y hay veces que te empiezo a extrañar
y me dan ganas de llorar,
pues tu cara no puedo recordar
y no sé si te vuelva a besar.

Rock

Coplas
Me gusta la nieve,
me gusta el helado,
pero más me gusta
estar a tu lado.[350]

Cuernavaca, Morelos,
1965

Tafetán amarillo,
arroz de leche;

yo jamás he tenido
celos de nadie. [*sic*] [351]

ARROZ CON LECHE[352]

D.P.

Arroz con leche,
me quiero casar
con un mexicano
que sepa cantar.

El hijo del rey
me manda un papel,
me manda decir
me case con él.

Con éste no,
con éste sí,
con éste mero
me caso yo.

CANTEMOS, CANTEMOS[353]

Popular, adaptación de A. Agullo

Cantemos, cantemos, vamos a cantar.
Cantemos, cantemos, vamos a cantar.

Cantemos, cantemos, vamos a cantar.
Cantemos, cantemos, vamos a cantar.
Cantemos, cantemos, vamos a cantar.
Cantemos, cantemos, vamos a cantar,
con la estudiantina, bonito cantar,
con la estudiantina, bonito cantar.

Si me dan pasteles que me los calienten [*bis*]
que pasteles fríos empacha a la gente. [*bis*].

Cantemos, cantemos...

Si me dan arroz, no me den cuchara [*bis*]
que mamá me dijo que me lo llevara. [*bis*]

La la la la la la...

Esta casa tiene las puertas de acero, [*bis*]
el que vive en ellas es un caballero. [*bis*]

Cantemos, cantemos...

Dios guarde esta casa y guarde la familia, [*bis*]
y los Santos Reyes también la bendigan. [*bis*]

Cantemos, cantemos...

Intérpretes: La Pandilla

LA MÁQUINA DE ESCRIBIR[354]

Valentín y Gilda Rincón, 1987

Yo ya sé escribir en máquina,
igualito que papá.
Taca tiqui tiqui taca,
taca ta tiqui tatiqui ta.

Le escribo a todos los niños
que conmigo quieran ir
a comer arroz con leche
a la banca del jardín.

Traca, traca, traca, traca,
tatiqui tiqui tatiqui tan,
a comer fresas con crema,
a tomar café con pan.

Suena la campana: ¡tin!
rueda el carro: rin, ran ron,
y taca, taca, tatiqui,
el sobre y la dirección.

Traca traca treque treque,
tatiqui taca, tatiqui ton,
tataca taca treque teque
teque taraca teque te ton.

Interpretan: Los Hermanos Rincón

Copla
En papel blanco te escribo
porque blanca es mi suerte;
limoncito azucarado,
¡yo lo que quiero es verte![355]

Costa Chica, Oaxaca,
1970

ACITRÓN[356]

D.P.

Acitrón de un fandango,
zango, zango, sabaré,
sabaré de farandela,
con su triqui, triqui, tran.

Por la vía voy pasando,
por la vía pasa el tren,
acitrón de un fandango,
zango, zango, sabaré.

Antonio tenía una flauta,
con ella se divertía
y vamos a dar la lata
a la casa de su tía,
con su triqui, triqui, tran.

Se sientan los jugadores en rueda y se van pasando cualquier objeto al ritmo de la canción, pero al decir "triqui triqui", en vez de pasarlo, se conserva en la mano, marcando el ritmo. La canción se va cantando cada vez más rápido y el que se equivoca, paga prenda.

Copla
Me dicen que hay un encanto
que da verdadera talla,
y quiero celebrar mi santo
con conserva de papaya,
a ver si comiendo canto
aunque me muera en la raya.

La conserva de papaya[357]
copla del "Vale" Bejarano

LA RUEDA DE SAN MIGUEL

D.P.

A la rueda, rueda de San Miguel,
San Miguel,
todos cargan su caja de miel;
a lo maduro, a lo maduro,
que se voltee... (fulano) de burro.

Canción documentada en el siglo XVI: "Las ollas de Churumbel", y ya en el siglo XVII como "Las ollas de San Miguel", juego de rueda en el que los muchachos vuelven la espalda hacia adentro.[358]

Copla
Yo soy el pájaro cú,
que sabe comer azúcar,
porque me crió una currucucú,
como el guamil de chuchuca,
que huele donde pasas tú.[359]

Costa Chica, Oaxaca

TERRÓN DE AZÚCAR[360]

M. Valentín y Gilda Rincón, 1983

Una niña encantadora
con pestañas muy rizadas,
gime y gime a toda hora
aunque nadie le haga nada.

"Mírame y no me toques",
ella parece decir,
si me tocas me derrito,
que me voy a derretir.

Que si ya la vi muy feo,
que si no la saludé,
que si ya le duele un dedo,
que si ya le duele un pie.

Que si amaneció enojada
no la pases a traer,

niña que es terrón de azúcar,
no se vaya a deshacer.

Que si cae la llovizna
ella no quiere salir,
ni que fuera de acuarela
que se pueda desteñir.

Que si el sol calienta mucho
ya no quiere ir a jugar,
ni que fuera gota de agua
que se fuera a evaporar.

Que si el viento la despeina,
que si el frío le hace mal,
que le ponga cuatro abrigos,
que si no, se va a resfriar.

Ha botado ya en su llanto
mis barquitos de papel,
terroncito azucarado,
no te vayas a hacer miel,
terroncito azucarado,
no te vayas a hacer miel.

Intérpretes: Los Hermanos Rincón

Copla
El amor del guerrerense
es como el terrón de azúcar:

la muchacha que lo prueba
hasta los dedos se chupa.[361]

La sanmarqueña, Agustín Ramírez, Gro.

BOMBÓN[362]

Autores: G. P. Felisatti-J. R. Flórez, 1995

Miel sobre miel,
tus caricias otra vez
vuelven a poner
fuego líquido en mi piel,
Je t'aime, bombón.

Pam-pata pàm,
como truenos del tam-tam,
nuestros pechos están
sincronizados, pom-pam,
Je t'aime, bombón.

Sed contra sed,
hambre y ganas de comer;
hoy me tienes fe,
lo demás vendrá después.
Je t'aime, bombón.

Veo lo que ven,
los dos granos de café
con los que iluminas

el nuevo día.
Visto del color
que hay en tus cambios de humor;
me perfumo en el olor de tu olor.
¡Oh!, *mon cheri*, bombón.

Mi talismán,
sabes bien y sientas mal,
eres más letal
que un conjuro de chamán.
Je t'aime, bombón.

Te voy detrás,
igual que las huellas van;
no te pido más
que las migas que me das.
Je t'aime, bombón.

Fragil como un pez,
si no estás me apagaré;
quiero la semilla
de tu sonrisa;
sin ti soy la flor
que no da ningún olor;
déjame mirarte
un poco mejor.
¡Oh!, *mon petit*.

Shala la la la...
Por ti
Shala la la la...
Que si

Shala la la la...
Por ti
Shala la la la...
Aquí
muero un día más.

Esa boca que va de amarga
y sabe a miel,
sé que la tendré
sólo para mí, lo sé.
Je t'aime, bombón.

Veo lo que ven...

Intérprete: Fey
Pop

MOTORES DE PASTEL[363]

Roque Narvaja, 1969

Hola, amigos, pronto va a empezar
una maravilla colosal;
vamos a emprender un viaje
sin igual
que nunca olvidarás.

El último cohete ya explotó,
la nave de gente se llenó;
vamos a cantar al mundo

celestial;
prepárense a volar.

Estribillo
Luz de limón, sillas de miel
y motores de pastel.

Ángeles con alas de algodón
nos vienen diciendo con amor;
no piensen en nada y déjense llevar,
que el mundo sigue igual.

Luz de limón, sillas de miel...

Intérpretes: La Joven Guardia

LA CHUPÓ EL DIABLO[364]

Ricardo Lassala, 1994

Aún recuerdo en preescolar,
cómo se me va a olvidar,
esa tarta de cumpleaños
que me preparó mamá.
La saqué sin ofrecer;
se me hizo agua a la boca,
mientras todos la miraban
se me cayó al piso.
La chupó el Diablo,
la chupó el Diablo.

Ya de grande conocí
a un ensueño de mujer;
amor a primera vista,
nos casamos por placer.
Por supuesto la cargué
desde el coche hasta la casa,
pero al cruzar por la puerta
se me cayó al piso.
La chupó el Diablo,
la chupó el Diablo.
Lo traté de superar,
me fui a psicoanalizar,
hice un viaje por Europa,
luego comencé a tomar.
De vagar y malgastar
muchos años he perdido
y ahora toda mi fortuna
se me cayó al piso.
La chupó el Diablo,
la chupó el Diablo.

Intérprete: Ansia

EL CRISTO DE PALACAGÜINA[365]

Carlos Mejía Godoy, 1978

Por el cerro de la Iguana,
montaña adentro de las Segovias,
se vio un resplandor extraño,

como una aurora de medianoche.
Los maizales se prendieron,
los quiebra-plata se estremecieron,
llovió luz por Moyogalpa,
por Telpaneca y por Chichigalpa.

Estribillo
Cristo ya nació en Palacagüina,
de Chepe Pavón y una tal María;
ella va a planchar, muy humildemente,
la ropa que goza la mujer hermosa
del terrateniente.

Cristo ya nació en Palacagüina, ...

La gente para mirarlo
se rejuntaron en un molote;
el indio Joaquín le trajo
quesillo en trenza de Nagarote;
en vez de oro, incienso y mirra
le regalaron, según yo supe,
cajetitas de Diriomo
y hasta buñuelos de Guadalupe.

Cristo ya nació...

José, el pobre jornalero,
se mecateya toditito el día,
lo tiene con reumatismo
el tedio de la carpintería.
María sueña que el hijo
igual que el tata sea carpintero,

pero el chavalillo piensa:
mañana quiero ser carpintero.

Cristo ya nació...

Intérprete: Elsa Baeza

Copla
Cuando yo era chiquito
me engañaban con panela;
ahora que ya voy creciendo
me engañan con la cadera.[366]

La sanmarqueña,
Oaxaca, Oaxaca, 1965

NOTAS

[1] *CFM, op. cit.*, tomo I, copla núm. 120.
[2] *Ibidem*, copla núm. 445a.
[3] *CFM, op. cit.*, tomo II, copla núm. 4543.
[4] *CFM, op. cit.*, tomo I, copla núm. 1383.
[5] Proporcionó Sandra Peredo, de México, D.F.
[6] *CFM, op. cit.*, tomo I, copla núm. 1552a.
[7] *Lírica infantil..., op. cit.*, p. 113.
[8] *CFM, op. cit.*, tomo III, copla núm. 6679.
[9] *CFM, op. cit.*, tomo V, p. 103.
[10] *CFM, op. cit.*, tomo I, copla núm. 669.
[11] *CFM, op. cit.*, tomo V, p. 198.
[12] *Ibidem,* p. 200.
[13] *CFM, op. cit.*, tomo II, coplas núms. 4401 y 3151a.
[14] *CFM, op. cit.*, tomo IV, copla núm. 9708.
[15] *Ibid.*, copla núm. 9816.
[16] *Cancionero popular mexicano, op cit.*, tomo I, p. 132.
[17] *CFM, op. cit.*, tomo II, copla núm. 3224.
[18] *Ibid,*. copla núm. 3468.
[19] *CFM, op. cit.*, tomo I, copla núm. 1027.
[20] *Naranja dulce..., op. cit.*, p. 43.
[21] *CFM, op. cit.*, tomo V, p. 205.
[22] *CFM, op. cit.*, tomo III, copla núm. 8490.
[23] *CFM, op. cit.*, tomo II, copla núm. 3813.
[24] *Ibid,*. copla núm. 3946.
[25] *Ibid,*. copla núm. 4454a.
[26] *Ibid,*. copla núm. 4454b.
[27] *Ibid,*. copla núm. 5335.
[28] *CFM, op. cit.*, tomo III, copla núm. 6903.
[29] *CFM, op. cit.*, tomo I, copla núm. 2741a.

[30] *Naranja dulce..., op cit.*, p. 67.

[31] CFM, *op. cit.*, tomo II, copla núm. 5055b.

[32] CFM, *op. cit.*, tomo I, copla núm. 465.

[33] CFM, *op. cit.*, tomo V, p. 169.

[34] *Ibid.*, p. 170.

[35] CFM, *op. cit.*, tomo V, p. 179.

[36] *Cancionero popular, op. cit.*, tomo I, p. 312.

[37] CFM, *op. cit.*, tomo I, copla núm. 1519.

[38] *Ibidem,* copla núm. 1230a.

[39] CFM, *op. cit.*, tomo II, copla núm. 5427.

[40] *Ibid.*, copla núm. 5553.

[41] *Naranja dulce..., op cit.*, p. 95.

[42] *Ibidem*, p. 44.

[43] CFM, *op. cit.*, tomo II, copla núm. 4918.

[44] *Ibid.*, copla núm. 3820.

[45] *Ibid.*, copla núm. 4785a.

[46] *Cancionero popular..., op cit.,* tomo I, p. 86.

[47] CFM, *op. cit.*, tomo IV, copla núm. 9900.

[48] CFM, *op. cit.*, tomo V, p. 271.

[49] *Ibid.*, p. 184. Existen 41 versiones documentadas en CFN y de ellas, 21 de Veracruz. Si bien se trata de un son jarocho, también aparece como son de Tierra Caliente. Únicamente se escogieron las coplas con tema gastronómico; todas, excepto una, tienen como referencia las frutas.

[50] *Ibid.*, p. 253.

[51] *Idem.*

[52] CFM, *op. cit.*, tomo III, p. 7343.

[53] Vicente T. Mendoza, *La canción mexicana; ensayo de clasificación y antología,* México, UNAM-Instituto de Investigaciones Estéticas, 1961, p. 181.

[54] *Naranja dulce..., op cit.*, pp. 50-51.

[55] CFM, *op. cit.*, tomo I, copla núm. 594.

[56] *Lírica infantil..., op. cit.*, p. 29.

[57] Sebastián Verti, *op. cit.*, p. 37.

[58] CFM, *op. cit.*, tomo I, coplas núms. 103 y 104.

[59] *Ibidem,* copla núm. 1707.

[60] *Ibid.*, copla núm. 1515a.

[61] CFM, *op. cit.*, tomo V, p. 267.

[62] CFM, *op. cit.*, tomo I, copla núm. 1437b.

[63] *Ibid.*, copla núm. 1515b.

[64] CFM, *op. cit.*, tomo V, p. 267.

[65] *Naranja dulce...*, *op. cit.*, p. 95.

[66] *Ibid.*, p. 98.

[67] CFM, *op. cit.*, tomo IV, copla núm. 9002.

[68] CFM, *op. cit.*, tomo V, p. 198.

[69] CFM, *op. cit.*, tomo II, copla núm. 5598.

[70] CFM, *op. cit.*, tomo V, p. 202.

[71] El Poder Latino, *Será melón, será sandía*, Polygram, LPM 12200 estéreo, 1984.

[72] *Op cit.*, tomo II, copla núm. 3822.

[73] CFM, *op. cit.*, tomo IV, copla núm. 9691.

[74] *Ibidem*, copla núm. 9088.

[75] CFM, *op. cit.*, tomo III, copla núm. 6852.

[76] Enrique Guzmán, *15 auténticos éxitos*, Serie de Colección. Harmony Estéreo, HLS-90041, 1961, 1962, 1963, 1964, 1965 y 1968.

[77] La Sonora Matancera, *Lo mejor para ustedes*, Discos Peerless, ECO 25359, 1976.

[78] CFM, *op. cit.*, tomo I, copla núm. 2028.

[79] CFM, *op. cit.*, tomo V, p. 253.

[80] CFM, *op. cit.*, tomo I, copla núm. 651.

[81] CFM, *op. cit.*, tomo V, p. 295.

[82] CFM, *op. cit.*, tomo I, copla núm. 237.

[83] CFM, *op. cit.*, tomo V, p. 242.

[84] CFM, *op. cit.*, tomo IV, copla núm. 9003.

[85] CFM, *op. cit.*, tomo III, copla núm. 6223.

[86] *Naranja dulce...*, *op. cit.*, p. 60.

[87] CFM, *op. cit.*, tomo IV, copla núm. 9121.

[88] CFM, *op. cit.*, tomo II, copla núm. 4424.

[89] CFM, *op. cit.*, tomo IV, p. 370.

[90] Santiago Show 1990, *¿Por qué?*, Disa 372, 1970.

[91] CFM, *op. cit.*, tomo II, copla núm. 5062.

[92] *Caña Brava*, EMI 104-795083 1, 1990.

[93] CFM, *op. cit.*, tomo IV, copla núm. 9113.

[94] CFM, *op. cit.*, tomo I, copla núm. 670.

[95] CFM, *op. cit.*, tomo III, copla núm. 6332.

[96] *Notitas Musicales*, México, D.F., 15 de marzo de 1981, p. 59.

[97] *Notitas Musicales*, México, D.F., 1 de marzo de 1975, p. 24.

[98] CFM, *op. cit.*, tomo I, copla núm. 3890.

[99] *Ibidem*, copla núm. 3640.

[100] *Notitas Musicales*, México, D.F., 1 de octubre de 1988, p. 24.

[101] CFM, *op. cit.*, tomo IV, copla núm. 8885.

[102] SGCP, Unidad Regional La Laguna, *La canción cardenche*, Torreón, Coahuila, CNCA, p. 57.

[103] CFM, *op. cit.*, tomo I, copla núm. 23338.

[104] CFM, *op. cit.*, tomo IV, p. 255.

[105] *Notitas Musicales*, México, D. F., 1 de marzo de 1977, p. 56.

[106] CFM, *op. cit.*, tomo II, copla núm. 4220.

[107] Álbum de Oro, núm. 151, *op. cit*, p. 16.

[108] CFM, *op. cit.*, tomo V, p. 307.

[109] CFM, *op. cit.*, tomo II, copla núm. 4695.

[110] *Ibid.*, copla. núm. 4342.

[111] CFM, *op. cit.*, tomo IV, copla núm. 8421.

[112] *Naranj dulce...*, *op. cit.*, p. 103. Para contar con los dedos.

[113] *Ibid.*, p. 63.

[114] Hugo Vázquez, *Humorismo y picardía en la canción de México*, inédito.

[115] CFM, *op. cit.*, tomo II, copla núm. 5334a.

[116] *Naranja dulce...*, *op. cit.*, p. 43.

[117] Cfr. "El Colás 1", p. 140 de este *Cancionero*.

[118] CFM, *op. cit.*, tomo V, p. 146, y las siguientes tres coplas.

[119] U. R., Acayucan, Veracruz.

[120] *Víctimas del Doctor Cerebro*, EMI 217, s/f.

[121] *Anecdotario...*, *op. cit.*, p. 28.

[122] CFM, *op. cit.*, tomo IV, copla núm. 9883.

[123] Se interpretó por primera vez en el 1er. Festival de la Huasteca, en Ciudad Valles, S.L.P., en 1996. Esta pieza inspiró la idea de hacer un cancionero gastronómico.

[124] *África en América*, Tania Libertad, Columbia, 1994.

[125] *Naranja dulce...*, *op. cit.*, p. 97.

[126] *Ibidem*, p. 103.

[127] Verso popular.

[128] CFM, *op. cit.*, tomo IV, copla núm. 9090.

[129] *Ibid.*, copla núm. 9089.

[130] *Naranja dulce..., op. cit.*, p. 68.

[131] *CFM, op. cit.*, tomo II, copla núm. 5323.

[132] Cri-Cri, *El Grillito Cantor*, vol. III, RCA, Víctor MKLA-88 Disco i.

[133] *CFM, op. cit.*, tomo IV, p. 392.

[134] *CFM, op. cit.*, tomo II, copla núm. 5670.

[135] *Ibid.*, copla. Núm. 5228.

[136] *CFM, op. cit.*, tomo V, p. 245.

[137] Proporcionó la familia Garnica a la Unidad Regional de Culturas Populares Jalapa.

[138] Los Hermanos Rincón, *El rincón de los niños*, vol. I, Polydor 16236, 1977.

[139] Dominio público.

[140] Proporcionó la señora Rosalinda Macedo viuda de Flores.

[141] *CFM, op. cit.*, tomo II, copla núm. 4953.

[142] *La canción..., op. cit.*, p. 530.

[143] *Ibidem*, p. 232.

[144] *CFM, op. cit.*, tomo V, p. 259.

[145] *CFM, op. cit.*, tomo III, copla núm. 6703.

[146] Botellita de Jerez, *La venganza del hijo del guacarrock*, Polydor LPRN 1985.

[147] *CFM, op. cit.*, tomo V, p. 257.

[148] *CFM, op. cit.*, tomo II, copla núm. 5395.

[149] *Ibid.*, copla núm. 5543.

[150] Unidad Regional de Culturas Populares Yucatán.

[151] *CFM, op. cit.*, tomo II, copla núm. 5398.

[152] *Ibid.*, copla núm. 4897.

[153] Dominio público.

[154] *La canción..., op. cit.*, p. 199.

[155] *CFM, op. cit.*, tomo IV, copla núm. 9536.

[156] *CFM, op. cit.*, tomo V, p. 121.

[157] *Ibidem.*, p. 229.

[158] *CFM, op. cit.*, tomo II, copla núm. 5216.

[159] *Ibidem.*, copla núm. 5586.

[160] *Ibidem.*, copla núm. 5181.

[161] Proporcionó la señora Rosalinda Macedo viuda de Flores.

[162] *CFM, op. cit.*, tomo V, p. 179.

[163] *Idem.*

[164] CFM, *op. cit.*, tomo I, copla núm. 193.

[165] CFM, *op. cit.*, tomo II, copla núm. 4215.

[166] *Ibidem*, copla núm. 4601.

[167] CFM, *op. cit.*, tomo II, copla núm. 7225.

[168] *Ibid.*, copla núm. 7562.

[169] Rockdrigo González, *El Profeta del Nopal*, Pentagrama, LLP-051, 1986.

[170] CFM, *op. cit.*, tomo II, copla núm. 4992.

[171] CFM, *op. cit.*, tomo IV, p. 243.

[172] CFM, *op. cit.*, tomo I, copla núm. 1476.

[173] CFM, *op. cit.*, tomo II, copla núm. 5028.

[174] Benjamín Jarmes, *El libro de oro de los niños*, vol. 10, México, Bruguera, 1980, p. 37.

[175] *Lírica...*, *op. cit.*, pp. 96 y 97.

[176] CFM, *op. cit.*, tomo II, copla núm. 5472a.

[177] *Ibid.*, copla núm. 5579.

[178] CFM, *op. cit.*, tomo II, p. 275.

[179] *Guitarra Fácil, Compendio Rock de los 60's*, vol. 7, México, Ediciones Libra, s/f, p. 72.

[180] *Ibidem*, p. 73.

[181] CFM, *op. cit.*, tomo II, copla núm. 5464.

[182] Botellita de Jerez, *Lo naco es chido*, Polygram LPM 12240.

[183] CFM, *op. cit.*, tomo IV, copla núm. 9125.

[184] *Ibidem.*, copla núm. 9092.

[185] *Notitas Musicales*, México, D.F., 12 de abril de 1994, p. 65.

[186] CFM, *op. cit.*, tomo II, copla núm. 4874.

[187] CFM, *op. cit.*, tomo IV, copla núm. 9083.

[188] CFM, *op. cit.*, tomo III, copla núm. 7425.

[189] *Lírica...*, *op. cit.*, p. 123.

[190] Proporcionó la señora Rosalinda Macedo viuda de Flores.

[191] Esta canción fue compuesta para ser interpretada en la comida comunitaria que cada año, en el mes de agosto, celebra el pueblo de San Joaquín, en el paraje denominado "Campo Alegre", municipio de San Joaquín, Querétaro. Unidad Regional de Culturas Populares de Querétaro.

[192] Proporcionó Isabel Flores Solano, hija del autor, a la Unidad Regional de Culturas Populares de Querétaro. Se canta tradicionalmente en comidas familiares o comunitarias para alegrar el convivio.

[193] Los Polivoces y Los Costeños, *Trisagios*, 1997, Orfeón Videovox.

[194] Proporcionada por el autor.

[195] CFM, *op. cit.*, tomo II, copla núm. 4906.

[196] *Ibidem.*, copla núm. 4382.

[197] *Notitas Musicales*, México, D.F., 15 de octubre de 1982, p. 21.

[198] CFM, *op. cit.*, tomo IV, copla núm. 9020a.

[199] *Los Polifacéticos*, EMI Capitol POP 497, 1980.

[200] *Álbum Guitarra Fácil* núm. 230, *Tropicales*, México, D.F., Ediciones Libra, s/f, p. 44.

[201] *Las siete brujitas*, Colección Melisa Sierra, CBS Columbia International, Harmony 0105-2980, 1970-1971.

[202] CFM, *op. cit.*, tomo II, copla núm. 3989.

[203] *Ibidem.*, copla núm. 4282.

[204] CFM, *op. cit.*, tomo III, copla núm. 7577.

[205] CFM, *op. cit.*, tomo I, copla núm. 1922.

[206] *Humorismo...*, *op. cit.*, s/p.

[207] CFM, *op. cit.*, tomo II, copla núm. 5000.

[208] CFM, *op. cit.*, tomo V, p. 128.

[209] *Idem.*

[210] *Naranja dulce...*, *op. cit.*, p. 62.

[211] CFM, *op. cit.*, tomo V, p. 150.

[212] *Ibid.*, p. 232.

[213] *El rincón de los niños*, vol. I, Polydor 16236, 1977.

[214] CFM, *op. cit.*, tomo IV, p. 382.

[215] CFM, *op. cit.*, tomo III, copla núm. 6699.

[216] CFM, *op. cit.*, tomo V, p. 122.

[217] *Ibidem*, p. 163.

[218] CFM, *op. cit.*, tomo II, copla núm. 466.

[219] CFM, *op. cit.*, tomo V, p. 200.

[220] Proporcionó la SACM.

[221] *Guitarra Fácil, Compendio Rock de los 60's*, vol 2. México, D.F., Ediciones Libra s/f, p. 65.

[222] *Lírica...*, *op, cit*, p. 79.

[223] *Idem.*

[224] *Naranja dulce... op. cit.* p. 103.

[225] CFM, *op. cit.*, tomo I, copla núm. 982.

[226] CFM, *op. cit.*, tomo II, copla núm. 4218.

[227] *Ibidem*, copla núm. 5532.

[228] *Ibid., copla núm.* 3200.

[229] *Ibid., copla núm.* 3863.

[230] CFM, *op. cit.*, tomo III, copla núm. 6242.

[231] Proporcionó la señora Rosalinda Macedo viuda de Flores.

[232] Botellita de Jerez, *La venganza del hijo del guacarrock*, Polydor LPRN 1985.

[233] Los Platinos, *La cumbia del billetero*, Estereo CI 2052, 1980.

[234] Botellita de Jerez, *La venganza del hijo del guacarrock*, Polydor LPRN 1985.

[235] CFM, *op. cit.*, tomo IV, copla núm. 9935.

[236] *Ibid., copla núm.* 9120

[237] Miguel León-Portilla, *Los antiguos mexicanos*, México, FCE (Col. Popular, 88), 1990, p. 41.

[238] CFM, *op. cit.*, tomo III, copla núm. 5853.

[239] *Cancionero popular mexicano, op. cit.*, tomo I, p. 492.

[240] CFM, *op. cit.*, tomo V, p. 194.

[241] CFM, *op. cit.*, tomo I, copla núm. 236.

[242] CFM, *op. cit.*, tomo II, copla núm. 5567.

[243] Recopiló el señor Hilario Martínez Revilla, de la Unidad Regional del Sur de Veracruz, Acayucan, en la comunidad de Mecayapan, Ver.

[244] Unidad Regional de Culturas Populares de Yucatán.

[245] CFM, *op. cit.*, tomo II, copla núm. 5455.

[246] CFM, *op. cit.*, tomo IV, pp. 288 y 289.

[247] *Ibid.*, p. 288.

[248] Los Hermanos Rincón, *Lírica infantil mexicana*, vol. III, Polydor, 16550, 1985.

[249] *Lírica... op. cit.*, p. 96.

[250] CFM, *op. cit.*, tomo V, p. 257.

[251] CFM, *op. cit.*, tomo III, copla núm. 7286.

[252] CFM, *op. cit.*, tomo IV, copla núm. 9807.

[253] CFM, *op. cit.*, tomo I, copla núm. 2720a.

[254] CFM, *op. cit.*, tomo IV, copla núm. 9137.

[255] CFM, *op. cit.*, tomo III, copla núm. 8408.

[256] *Ibid.*, copla núm. 8414.

[257] *Idem.*

[258] *Popol Wuj, op. cit.*, p. 31.

[259] *Pollito con papas*, El súper show de Los Vázkez, CBS/Columbia Internacional, 1989.

[260] *CFM, op. cit.*, tomo I, copla núm. 2500.

[261] *Si tu suegra es... tu dolor de cabeza*, varios, PEC 440, cortesía de *Disprina*, s/f.

[262] *CFM, op. cit.*, tomo V, p. 254.

[263] *Celia Cruz y La Sonora Matancera*, Orfeón, LP-20.C-TV-044.

[264] *Naranja dulce..., op. cit.*, p. 36.

[265] *CFM, op. cit.*, tomo III, copla núm. 6225.

[266] *Ibid*, copla núm. 6253b.

[267] *Lírica..., op. cit.*, p. 90.

[268] Los Gatos Negros, *15 éxitos 15, Orfeón* LP-20-TV-008, s/f.

[269] Francisco Pascual Arias, *Cancionero zoque-popoluca de sones jarochos*, México, DGCP, U. R. *Acayucan*, 1991, p. 52. El son no habla del fruto de la palma sino de un ave gallinácea.

[270] *CFM, op. cit.*, tomo V, p. 146.

[271] *CFM, op. cit.*, tomo III, copla núm. 7297.

[272] *Si tu suegra es... tu dolor de cabeza, varios,* PEC 440, cortesía de *Disprina*, s/f.

[273] Proporcionó Gerardo Aboytes, miembro del grupo Los Nakos. Se canta en eventos populares y casi siempre como remate a la presentación del grupo. Aparece en el disco *Va por Chiapas* 1996, aunque aproximadamente desde 1990 la canta el grupo.

[274] *CFM, op. cit.*, tomo III, copla núm. 7294a.

[275] Proporcionó Isidro Martínez Lorenzo, promotor cultural de la U. R. *Acayucan.*

[276] *CFM, op. cit.*, tomo V, p. 376.

[277] *CFM, op. cit.*, tomo IV, copla núm. 9124.

[278] Proporcionó Onésimo Cordero R., promotor cultural de la U. R. *Acayucan*. Hay versiones de este son que datan del siglo XVIII, pero ésta es la más completa e incluye más coplas gastronómicas.

[279] *Cancionero popular mexicano, op. cit.*, tomo I, p. 181.

[280] *CFM, op. cit.*, tomo IV, p. 382.

[281] *Anecdotario, op. cit.*, p. 36.

[282] *CFM, op. cit.*, tomo V, p. 126.

[283] *CFM, op. cit.*, tomo II, copla núm. 5384.

[284] *Cuadernos de la Gaceta*, México, FCE, 1985.

[285] Peerless EPP 15374, proporcionó la SACM.

[286] Proporcionó la SACM.

[287] *CFM, op. cit.*, tomo IV. p. 339.

[288] *Lírica..., op. cit.*, p. 72.

[289] *CFM, op. cit.*, tomo I, copla núm. 2720a.

[290] *CFM, op. cit.*, tomo IV, copla núm. 9122.

[291] *CFM, op. cit.*, tomo V, p. 201.

[292] *Humorismo..., op. cit.*, s/p.

[293] *Cancionero zoque-popoluca..., op. cit.*, p. 107.

[294] *La canción..., op. cit.*, p. 416.

[295] *CFM, op. cit.*, tomo V, p. 267.

[296] Proporcionó la Lic. Georgina Obregón Sánchez, encargada de despacho de la Dirección General del Consejo Estatal para la Cultura y las Artes de Hidalgo (CECAH).

[297] Recopiló el señor Hilario Martínez Revilla, de la U. R. *Acayucan.*

[298] *CFM, op. cit.*, tomo III, copla núm. 7298.

[299] Unidad Regional de Culturas Populares Yucatán.

[300] *La canción..., op. cit.*, p. 429.

[301] El Personal, *No me hallo, y algo más, Pentagrama*, PCD 190, s/f.

[302] *Para ti..., op. cit.*, p. 463.

[303] *CFM, op. cit.*, tomo IV, p. 311.

[304] *Chilenas descriptivas de Costa Chica: Estampas de mi Tierra*, Pentagrama LPP 114, México, D.F., 1988.

[305] *Idem.*

[306] *La canción..., op. cit.*, p. 423.

[307] Proporcionó Tiburcio Blanco Pedrero, de la Unidad Regional de Culturas Populares de Chiapas (U. R. Chiapas) en adelante

[308] Proporcionó Marta Dolores Albores a la U. R. Chiapas.

[309] Proporcionó la autora.

[310] *CFM, op. cit.*, tomo IV, p. 307.

[311] *CFM, op. cit.*, tomo V, p. 260.

[312] *Ibid.*, pp. 14 y 15.

[313] *Ibid.*, p. 119.

[314] *Para ti..., op. cit.*, p. 99.

[315] Proporcionó el autor a la Unidad Regional de Culturas Populares Morelos.

[316] *Idem.*

[317] Proporcionó la autora. Esta pieza se compuso para la fiesta de Zapotitlán.

[318] Proporcionó la señora Rosalinda Macedo viuda de Flores.

[319] *Idem.*

[320] *Idem.*

[321] CFM, *op. cit.*, tomo V, p. 247.

[322] *La Cuca, La invasión de los blátidos*, Sonopress 74321119132.

[323] Cecilia Toussaint, ARPIA, Pentagrama LPP 059 1987.

[324] *Notitas Musicales*, México, D.F., 1 de mayo de 1993, p. 16.

[325] Botellita de Jerez, *Lo naco es chido,* Polygram LPM 12240.

[326] *Naranja dulce..., op. cit.*, p. 49.

[327] *Abecedario de los hermanos Rincón, El rincón de los niños,* vol. 4, Polydor LP 16369 A2 estéreo, 1980.

[328] *Idem.*

[329] CFM, *op. cit.*, tomo V, p. 142.

[330] *Ibid., p.* 303.

[331] CFM, *op. cit.*, tomo I, copla núm. 221.

[332] CFM, *op. cit.*, tomo VI, copla núm. 9844.

[333] *Toca Todo, Fácil* "especial de Cri-Cri", México, D.F., s/f, p. 10.

[334] CFM, *op. cit.*, tomo I, copla núm. 2013.

[335] CFM, *op. cit.*, tomo II, copla núm. 3354.

[336] *Toca Todo Fácil,* núm. 182, "Canciones Infantiles", México, D.F., De. Libra 1980, p. 26.

[337] El rincón de los niños, vol. I, Polydor 16236, 1977.

[338] *Álbum Guitarra Fácil,* núm. 240, "Bronco", México, D.F., De. Libra, s/f, p. 17.

[339] *Notitas Musicales*, México, D.F., 1 de septiembre de 1985, p. 10.

[340] *Guitarra Fácil,* núm. 107 "Onda Juvenil", México, D.F., De. Libra, 1980, p. 11.

[341] La Sonora Matancera, *Lo mejor para ustedes, Discos Peerless*, ECO 25359, 1975.

[342] *Celia Cruz y La Sonora Matancera*, LP-20-C-TV-044

[343] *Álbum Guitarra Fácil,* núm. 238, "Éxitos del Segundo Semestre del '93", México, D.F., De. Libra, enero de 1994, p. 47.

[344] Tata Nacho, *Cantares de México*, Archivo Histórico Testimonial, documentos gráficos, Literarios y Fonográficos sobre Música Popular Mexicana y de Latinoamérica, AMEFT-221-1 1982.

[345] *Fito Olivares y La Pura Sabrosura*, Musivisa, TUL-1566, 1995.

[346] *Santa Sabina*, BMG, NOC-0009, 1992.

[347] *Notitas Musicales*, México, D.F., 1 de septiembre de 1984, p.

[348] *Hurbanistorias*, Pentagrama LPP 042, 1987.

[349] Café Tacuba, *re*, WEA CDIX 967842, s/f.

[350] *CFM, op. cit.*, tomo I, copla núm. 1145.

[351] *CFM, op. cit.*, tomo II, copla núm. 4019.

[352] *Naranja dulce..., op. cit.*, p. 53.

[353] *Notitas Musicales*, México, D.F., 1 de agosto de 1976, p. 22.

[354] Los Hermanos Rincón, *El rincón de los niños*, vol. 2, Polydor 1987.

[355] *CFM, op. cit.*, tomo I, copla núm. 512.

[356] *Naranja dulce..., op. cit.*, p. 63.

[357] *Anecdotario..., op. cit.*, p. 28.

[358] *Naranja dulce..., op. cit.*, p. 49.

[359] *CFM, op. cit.*, tomo III, copla núm. 6141.

[360] Los Hermanos Rincón, *El rincón de los niños*, vol. VI, Poly 16453, 1983.

[361] *CFM, op. cit.*, tomo IV. copla núm. 9837.

[362] Fey/*Fey*, Columbia, CDMN 479779, 1995.

[363] *Notitas Musicales*, México, D.F., julio de 1969, p. 41.

[364] *Notitas Musicales*, México, D.F., 26 de abril de 1994, p. 35.

[365] *Notitas Musicales*, México, D.F., 1 de marzo de 1978, p. 24.

[366] *CFM, op. cit.*, tomo II, copla núm. 5042.

El que come y canta..., con un tiraje de 7 000 ejemplares, se terminó de imprimir en el mes de septiembre de 1999 en los talleres de Litoarte, S.A. de C.V., San Andrés Atoto 21-A, Col. Industrial Atoto, Naucalpan, CP 53519, Estado de México

Tipografía y formación, Editipo
Fuente Adobe Garamond

Fotografía de portada: Carlos Contreras de Oteyza
Plato: Taladura de Puebla, S.A. de C.V.
Diseño de fotografía: Alicia Gironella De'Angeli

Diseño de portada: Tecla Ulloa

Cuidado de edición: Dirección General de Publicaciones del Consejo Nacional para la Cultura y las Artes